Kurt Lütgen
Rebellen am Red River

Kurt Lütgen

Rebellen
am Red River

Mit Illustrationen von Kurt Schmischke

1. Auflage 1974
© 1974 by Arena-Verlag Georg Popp Würzburg
Alle Rechte vorbehalten
Schutzumschlag und Innenillustrationen: Kurt Schmischke
Karten: D. C. Schubert
Gesamtherstellung: Tagblatt-Druckerei KG Haßfurt
ISBN 3 401 03709 9

Inhalt

Eine neue Nation

Eine Republik am Red River

Prophet der Prärien

»Ich aber habe hier nicht unbekannte und unbe-
glaubigte Geschichten zusammengetragen, sondern nur
das erzählt mit aller Wahrheitsliebe und Genauig-
keit, was im Gedächtnis der Zeitgenossen
lebendig blieb.«   Herodian, Kaisergeschichte

»Soll von der Wirklichkeit dies Märchen handeln?
Soll's etwas stiften? Oder soll es nur betören?
In welcher Spanne zwischen Sehn und Hören
Vollzog sich dieses schmerzhafte Verwandeln?
Bannst du's in eines Augenblickes Raum,
So ist es nichts, vergeht als wie ein Traum.
Doch wenn du spürst: Es haben Jahre dran gewirkt,
Dann geht dir auf, was jedes Leben birgt.«

Samuel Taylor Coleridge

Eine neue Nation

»Sie halten sich für das glücklichste Volk der Welt und ihr Land für das schönste auf Erden, und ich denke, sie haben ein gutes Recht dazu.

Ansehnlich von Gestalt, hoch und gerade gewachsen sind sie fast alle, stark und ausdauernd und feine Charaktere: lebensfroh, fromm, gutmütig, gastfreundlich und stolz, aber auch, da sich zum Stolz ein heftiges Temperament gesellt, empfindlich und eigenwillig.

Doch mit Verständnis für ihre Eigenart und lockerer Hand geführt, werden sie gute Dienste leisten, wenn sich das Land westlich der großen Seen bis hin zu den Felsenbergen eines Tages der Besiedlung öffnet. Denn niemand kennt dieses weite Land mit seinen großen Wäldern, ungebärdigen Flüssen, labyrinthischen Seen und unermeßlichen Prärien, kennt die Eigenheiten der dort schweifenden Indianerbanden so gut wie sie.«

So beschreibt ein englischer Reiseschriftsteller im Jahr 1812 das Volk, von dessen Kampf um Selbstbestimmung und Lebensrecht hier erzählt werden soll: das Volk der Metis. Und noch fünfzig Jahre später bekundet ein anderer Autor, daß sich diese »Abkömmlinge von Weißen und Indianern, gerade weil sie eine Rasse zwischen den Rassen sind, mit Stolz für etwas Besonderes halten«.

Daß es ein Makel, ja Fluch sein könnte, als Halbblut geboren zu sein, ist den Metis erst spät und deshalb beson-

ders schmerzhaft bewußt geworden. Solange die Pelzhändler allein den ganzen Nordwesten des heutigen
Kanada beherrschten, standen die Metis in hoher Achtung
als Waldläufer, Fallensteller, Wegführer, Dolmetscher,
Kanufahrer, Büffeljäger und als Kämpfer gegen die Raub-
züge der Prärie-Indianer.

Sie ordneten ihre Angelegenheiten selbst, und niemand
dachte daran, ihnen hineinzureden. Keiner hätte sich im
Herrschaftsbereich der Hudson's Bay Company (HBC),
dem riesigen Ruperts-Land, einfallen lassen, die Metis
um ihres katholischen Glaubens willen oder wegen ihrer
eigentümlichen Sprache, ihrer Bräuche und ihrer Hautfarbe halber zu verachten. Das wurde erst anders, als um
1850 immer mehr weiße Siedler vom kanadischen Osten
her, vor allem aus der überwiegend von Briten besiedelten Provinz Ontario, in das Land am Red River und
Assiniboine drängten.

Dies muß man sich zuerst vor Augen führen, wenn man
die kurze, aber heftige, an Widersprüchen reiche Geschichte der sogenannten »Rebellion am Red River« verstehen und zugleich der Gestalt gerecht werden will, die
Anführer und Seele dieses Aufstandes wurde.

Wer ist dieser Riel?

Auch der Mann, der im Mittelpunkt unserer Geschichte stehen muß, weil er — halb freiwillig, halb dazu gedrängt — zum Angelpunkt der »Rebellion am Red River« wurde, auch Louis Riel bekam die Bitternis, als Mensch nur deswegen mißachtet und abgelehnt zu werden, weil er dem Volk der Metis entstammte, erst zu kosten, als er den Kinderschuhen bereits entwachsen war.

Da sich bei ihm mehrere der charakteristischen Eigenschaften der Metis — der empfindliche Stolz vor allem — ausgesprochen stark und eigenwillig ausgebildet hatten, traf ihn dieser Schlag besonders hart und tief; traf ihn so tief, daß die Wunde nur oberflächlich vernarbte und bei jeder, auch der leisesten Berührung aufs neue zu brennen begann.

Die erste schlimme Folge dieser Demütigung war, daß Louis Riel unwiderruflich aus der Bahn geworfen wurde, die ihm die Fürsorge seiner Eltern und das Wohlwollen des Bischofs der Red-River-Kolonie hatte vorzeichnen wollen. Als er noch nicht ganz vierzehn Jahre zählte, hatte ihn der Bischof von St. Boniface mit drei anderen, besonders begabten Metis-Kindern seiner Diözese für das Seminar von St. Sulpice ausgewählt.

Seine fromme Mutter sah damit bereits ihren Herzenswunsch erfüllt. Sie glaubte ihren ältesten Sohn seit jeher zum Priester berufen. Der Vater dachte hierüber nüchterner: »Das Wichtigste ist, daß du Gelegenheit erhältst, deinen Geist zu schärfen und Wissen zu erwerben«, sagte er zu seinem Sohn. »Leute, die geistig beweglich sind und etwas wissen, fehlen uns hier am Red River. Ohne sie wird unser Heimatland immer hinterwäldlerisch bleiben.« Danach verbreitete er sich nach seiner Art langatmig und ohne Rücksicht auf das Fassungsvermögen seines jugendlichen Zuhörers über das, was er selbst unter Wissen und Fortschritt verstand.

Louis Riels Vater war von Jugend auf ein unruhiger Kopf gewesen — klug, aber unstet. Wie es das Herkommen bei seinem Volk forderte, hatte er als Kanumann und Waldläufer im Dienst der HBC begonnen. Weil er seine Dienste dort jedoch zu schlecht entlohnt fand, versuchte er sich als Farmer. Doch die Bauernarbeit langweilte ihn bald. Deshalb ging er nach Montreal, um im Pelzhandel weiterzukommen. Aufs neue enttäuscht und unbefriedigt, dazu von Heimweh nach der Prärie geplagt, kehrte er nach wenigen Jahren zum Red River zurück und errichtete dort die erste Mühle. Auch sie enttäuschte seine allzu hochgespannten Erwartungen, ernährte jedoch immerhin seine schnell wachsende Familie leidlich. Während er innerlich murrend den Red-River-Farmern den Weizen mahlte, legte er mit Vorliebe den wartenden Kunden seine Ansichten über Politik und Wirtschaft dar. Er fand offene Ohren bei ihnen, wenn er etwa sagte: »Solange die HBC das Ruperts-Land regiert, ist hier für Handel und Wandel nichts zu hoffen. Ihr könnt euch ja wohl noch erinnern, welche Mühe es gekostet hat, sie dazu zu bringen, daß wir amerikanische Waren einführen dürfen.«

Hierauf spielte er besonders gern an, denn daß man der

HBC dieses Zugeständnis abgerungen hatte, war hauptsächlich sein Verdienst. Er hatte sich bei diesem Streitfall nämlich nicht damit begnügt, als Sprecher der Metis im beratenden Parlament des Rupert-Landes, dem sogenannten Assiniboine-Rat, die HBC immer wieder mit Worten anzugreifen, weil sie die Grenzen für amerikanische Waren gesperrt hielt und den Verkauf untersagte. Nein, er hatte nicht geruht, bis er einen Demonstrationszug auf die Beine brachte, der Fort Garry stundenlang drohend belagerte, bis der Resident der HBC schließlich nachgab.

Ähnlich war er vorgegangen, als die HBC entgegen früherem Brauch zum Oberrichter in Ruperts-Land einen Mann berief, der nur Englisch und nicht auch Französisch sprach. Bei den regierenden Herren der HBC hatte ihn das nicht gerade beliebter gemacht. Bei ihnen hieß er seitdem nur noch der »Stänker Riel«. Doch das focht ihn wenig an, denn seine Metis sahen in ihm von da an ihren Wortführer, den Mann ihres Vertrauens.

Aber dieser lokalpolitische Erfolg befriedigte seinen Ehrgeiz nur halb.

»Schaut nach drüben, zu den Yankees«, rief er seinen Landsleuten immer wieder zu. »Da ist Leben und Bewegung, denn bei ihnen herrscht freier Wettbewerb. Hier im Ruperts-Land schläft alles! Und warum? Weil die HBC keine freien Unternehmer, keinen freien Handel duldet — aus Furcht, ihr Handelsmonopol könnte dadurch untergraben werden!«

Er wäre nur zu gern unter die Unternehmer gegangen, aber es fehlte ihm dazu an Kapital. Die HBC, die einzige Kreditquelle im Ruperts-Land, dachte natürlich nicht daran, den aufsässigen Müller Riel mit einem Darlehen zu unterstützen. Aber schließlich wagte er es doch, eine Textilfabrik in St. Boniface zu gründen. Den Kauf der erforderlichen Maschinen mußte er mit Wechseln finanzieren. Das Unternehmen wollte nicht gedeihen. Er hatte übersehen, daß es im Ruperts-Land nicht genügend kaufkräftige Kunden für seine Erzeugnisse gab. Außerdem waren amerikanische Textilien billiger. Von Geldsorgen und Enttäuschungen zermürbt, starb der Vater Riels wenige Jahre, nachdem er sich in dieses letzte Abenteuer seines Lebens gestürzt hatte.

Doch als er sich 1858 in St. Paul von seinem Sohn Louis verabschiedete, dachte er an einen solchen Ausgang freilich nicht. Er war vielmehr überzeugt, erst jetzt begänne er richtig zu leben und eine gesicherte Grundlage für die Zukunft seiner Kinder zu schaffen.

»Was sollen die Tränen in deinen Augen, Junge«, rügte er seinen Sohn unwillig. »Denk daran, daß sich für dich Wege öffnen, die deinem Vater in seiner Jugend versperrt blieben. Sei denen dankbar, die dir diese Wohltat erweisen! Danke es ihnen durch Fleiß und Wohlverhalten! Oder hast du jetzt schon Heimweh?«

Louis nickte verschämt. Da wurde auch sein Vater weich. Er hatte nicht vergessen, wie sehr auch ihn in seinen jungen Jahren das Heimweh nach der Prärie geplagt und schließlich überwältigt hatte. Mit feuchten Augen schloß er den Sohn in die Arme und suchte ihn mit seinen vom Licht der Erinnerung vergoldeten Jahren in Montreal zu trösten.

Als sie sich endlich trennten, war beiden das Herz schwer. Der Vater gab in dieser Stunde dem Sohn ein Wort auf den Weg nach Osten mit, das Louis Riel nicht vergaß und an das er sich eines Tages klammerte wie ein Ertrinkender an einen Rettungsring.

»Im Priesterseminar«, sagte der Vater damals, »geht es meistens nicht gerade heiter zu. Du wirst es dort wahrscheinlich nicht leicht haben. Sei trotzdem fleißig und tapfer und halte aus — deiner guten, frommen Mutter zuliebe. Doch wenn du spürst, daß es über deine Kraft geht, dann sei ehrlich gegen dich und uns und deine Lehrer. Dir selbst und auch deinem Volk ist mehr damit gedient, daß du als ein braver Christ und aufrechter Mann heimkehrst, als damit, daß du ein lustloser, schlechter Priester wirst.«

Louis Riel verbrachte fast zehn Jahre in Montreal, aber nur sechs davon im Seminar St. Sulpice. Sein Mitschüler und Metislandsmann Louis Schmidt, ein wortkarger, bis zur Phantasielosigkeit nüchterner Mensch, hat uns ein ungeschminktes Bild des Priesterschülers Riel hinterlassen: »Er war nie gern in St. Sulpice. In den ersten Jahren machte ihn das Heimweh so unsicher, daß seine Schulleistungen darunter litten. Später wurde er ein guter, aber nie hervorragender Schüler. An den Spielen und Disputen seiner Mitschüler nahm er selten teil. Beim Spiel verabscheute er es, wenn jemand mogelte oder ein Stärkerer Schwächere drangsalierte. Riel konnte dann sehr böse und heftig werden. Im Gespräch oder Disput ertrug er es nur schwer, wenn man ihn nicht zu Wort kommen ließ oder ihm hartnäckig widersprach. Gelang es ihm jedoch, die Führung eines Gesprächs an sich zu bringen, dann war er von mitreißender Beredsamkeit. In seinen letzten Studienjahren blieb er gern für sich allein oder zog sich hinter Schweigsamkeit zurück. Er schrieb nun Gedichte, deren Ton und Inhalt seine Lehrer mitunter an der Festigkeit seines Glaubens zweifeln ließen. Daß er zum Gemeinde- oder gar Missionspriester berufen war, bezweifle ich. Dazu besaß er zu wenig Geduld und Demut. Aber er verstand es besser als jeder andere im Seminar, seine Gefühle auszudrücken, und wußte das gesprochene wie das geschriebene Wort geschickt zu handhaben. Daher nahm ich an, er werde nach bestandenem Examen Gelegenheit suchen, als Redakteur in den Dienst der Kirche zu treten. So war ich sehr überrascht, als uns der Pater Superior im März 1865, wenige Monate vor dem Examen, mitteilte, Louis Riel sei auf eigenen Wunsch aus dem Seminar ausgeschieden, um ins praktische Leben einzutreten ... Nach meiner Meinung war Louis Riel für nichts so wenig geeignet wie für einen praktischen Beruf.«

Vielleicht ein Dichter?

Da Louis Riel sich nicht einmal seinem Beichtvater anvertraut hatte, tappten nicht nur seine Mitschüler, sondern auch seine Lehrer über den Beweggrund für diesen schwerwiegenden Entschluß im dunkeln. Sie hielten ihn für einen Ausfluß der weltschmerzlichen Stimmungen, von denen Riel seinem Lebensalter entsprechend heftig, aber anhaltender als andere geplagt wurde.

Der Zweifel, ob er wirklich zum Priester berufen sei, spielte freilich dabei mit. Den eigentlichen Anstoß aber gab die Nachricht, daß sein Vater gestorben und zwar als ruinierter Mann gestorben war. Seine Mutter versicherte ihm zwar, sie leide trotzdem keine Not. Doch er glaubte ihr nicht recht, nahm vielmehr an, sie wolle ihn nur schonen, damit er sein Studium unbeschwert fortsetzen konnte. Zugleich jedoch ließ sie ihn wissen, sie betrachte ihn, den ältesten Sohn, nach Metisbrauch von jetzt an als Oberhaupt der Familie, das in allen Angelegenheiten um seinen Rat befragt werden müsse.

Louis Riel nahm die Verantwortung, die ihm damit zufiel, nach seiner Art sehr ernst. Seine Gedanken umkreisten unaufhörlich die Frage, wie er diesem Anspruch gerecht werden sollte. Vor allem: Wie konnte er seine Mutter und seine jüngeren Geschwister schützen und unterstützen?

Ging er den vorgezeichneten Studienweg weiter, so mußte es noch Jahre dauern, bis er nicht nur dem Namen nach, sondern wirklich Oberhaupt, Stütze und Ernährer seiner Familie war. Je länger er hierüber nachdachte, um so deutlicher meinte er zu erkennen, was er tun mußte, um seine Pflicht als Sohn und Bruder zu erfüllen: Den Sprung ins Erwerbsleben wagen!

Anfang März 1865 erschien er bei seinem Onkel, dem Pelz- und Häute-Exporteur John Lee, und bat ihn um eine Anstellung als Kaufmannsgehilfe. Lee musterte seinen Neffen erheitert und erwiderte trocken: »Meine Gehilfen haben alle eine vierjährige Lehrzeit absolviert. Da du aber schon einundzwanzig bist, könnte ich die Lehre für dich um zwei Jahre kürzen. Besoldet wirst du nicht, aber du kannst bei uns wohnen, an unserem Tisch essen, und für angemessene Kleidung werde ich auch sorgen.«

Louis erschrak; er hatte es sich anders gedacht. Doch er biß die Zähne zusammen und sagte: »Ja, ich will!«

Damit trat er in eine Welt ein, auf die ihn das Seminar St. Sulpice nicht im geringsten vorbereitet hatte. Die Tätigkeit im Kontor und Lagerhaus erwies sich dabei noch als das Harmloseste. Dort fand er sich schnell zurecht —

so schnell, daß er sich schon nach wenigen Monaten langweilte. Lee erkannte seine Enttäuschung und brachte ihn
als Kanzleigehilfen bei seinem Freund, dem Rechtsanwalt
La Flamme, unter. Dort langweilte sich Riel zwar kaum
weniger, aber da er fleißig war und Augen und Ohren
offenhielt, eignete er sich einige Grundkenntnisse der
Rechtswissenschaft und der Gerichts- und Verwaltungs-
praxis Kanadas an, die ihm später zustatten kamen. Vor
der Ochsentour der üblichen Anwalts- und Notarsausbil-
dung freilich graute ihm unsäglich.

Viel aufregender und anziehender erschien ihm das, was
er darüber hinaus im Lebenskreis seines Onkels Lee erfuhr. Lee, von Geburt Ire, war ein Fenier, das heißt, er
gehörte einer logenähnlichen, über ganz Nordamerika
verbreiteten Vereinigung katholischer Iren an, die sich
zum Ziel gesetzt hatte, die Befreiung Irlands von der britischen Oberherrschaft zu betreiben. In diesem Kampf
gegen alles Britische unterhielt sie enge Beziehungen zu
den Frankokanadiern und unterstützte deren Bestrebun-
gen, die Bevormundung durch die Anglokanadier abzu-
streifen.

Das französischsprechende Kanada war um diese Zeit aus
der hundertjährigen Betäubung erwacht, die der Eroberung Quebecs durch die Engländer im Jahre 1759 gefolgt
war. Es besann sich auf seine reiche kulturelle Vergangenheit und Eigentümlichkeit. Daraus nährte sich ein
übersteigerter, empfindlicher Stolz, nährte sich vor allem
der Anspruch, endlich als politisch und sozial gleichberechtigt neben den englischsprechenden Kanadiern Ontarios zu gelten. Welchen Weg zur Erfüllung dieser Forderungen man gehen sollte, darüber gab es freilich eine
Vielzahl unterschiedlicher Meinungen. Gemeinsam war

allen nur ein Element — die Spannung, die aus dem alten Gegensatz zwischen Katholiken und Protestanten gespeist wurde.

Alle Parteirichtungen und Strömungen dieser politisch bewegten Gruppen trafen und überschnitten sich im Haus John Lees. Fast jeder seiner zahlreichen Freunde hatte seine eigene Ansicht und wußte sie in endlosen Disputen leidenschaftlich zu verteidigen. Louis Riel, der in St. Sulpice nie auch nur ein Wort von politischen Vorgängen gehört, nie auch nur eine Zeitung zu Gesicht bekommen hatte, berauschte sich zunächst am Zuhören. Bald aber nahm er mit wachsender Lust und Beredsamkeit an den Auseinandersetzungen teil.

Dies, so schien ihm, war nun endlich die ganze echte Wirklichkeit der Welt und der Menschen — ungeklärt, verwirrend, ja bestürzend, auf jeden Fall aber zum Mitdenken, Mittun herausfordernd. Was er in St. Sulpice hatte lernen müssen, kam aus abgeklärter, in sich geschlossener Vergangenheit und zielte auf eine ferne, nicht minder abgeklärte Zukunft. Mit der Gegenwart, wie sie nun einmal war, hatte das alles nur mittelbar zu schaffen. Es bewegte sich am Rande, am gesicherten Ufer des Stroms. Hier aber war die Strömung selbst, und wer nicht in ihr versinken wollte, mußte den Geist und die Arme rühren. Er nahm aus diesen Disputen als unverlierbaren Besitz mit: die Leidenschaft für Politik, die Begeisterung für patriotische Ideen, die Überzeugung, daß das Selbstbestimmungsrecht aller Glaubensrichtungen, Volks- und Sprachgruppen unantastbar sein müsse, und einen lebhaften Widerwillen gegen einen Staatenbund auf kanadischem Boden, in dem die Briten allein die Führung für sich beanspruchten. Aus dem Für und Wider der politischen Strömungen, die damals Kanada aufwühlten, wurde der Politiker Louis Riel geboren.

Daß er auch zum Rechtsanwalt nicht geschaffen war, stellte sich in der Kanzlei von Maitre La Flamme mit jedem Tag deutlicher heraus. Er war zu ungeduldig für die kleinen, bedächtigen und umständlichen Schritte der Rechtspflege. Die Widersprüchlichkeiten der Urteile, Gesetze und Kommentare verdrossen seinen auf eindeutige Entscheidungen drängenden Geist. Immer häufiger blieb er stundenlang den Akten fern und trug statt dessen seine Gedanken auf die Abhänge des Mount Royal, wo sich ein weiter Ausblick auf die mächtige Wasserstraße des St.-Lorenz-Stroms und weit hinaus ins Land nach Westen bot. Dann überströmte ihn das Heimweh, das ihn während seiner Jahre in Montreal nie ganz verließ, so überwältigend, daß er sich weit fort zu den Prärien am Red River und Assiniboine entführt fühlte.

Ebenso oft aber suchten seine sehnsüchtigen Gedanken Gesicht und Gestalt eines Mädchens. Marie Julie Guernon hatte ihm auf den ersten Blick gefallen, weil ihre Zierlichkeit und ihr sanftes, zartes Gesicht ihn sofort an seine Schwester Sara erinnerten. So jedenfalls lebte Sara in seiner Erinnerung; so würde sie in ihm für immer fortleben, dachte er. Denn Sara war vor einem Jahr als Novizin in den Orden der Grauen Schwestern eingetreten. Falls er sie in diesem Leben jemals wiedersah, würde sie sich zu einer Klosterfrau gewandelt und zumindest äußerlich nichts mehr mit der Tochter der Prärie gemeinsam haben, von der er an jenem Frühsommertag des Jahres 1858 unter Tränen Abschied genommen hatte. Soweit seine Erinnerung zurückreichte, war diese wenig mehr als ein Jahr jüngere Schwester ihm die liebste, weil verständigste und anhänglichste Gefährtin seiner Kinderjahre gewesen. Mit niemals wankendem Zutrauen hatte sie sich bei allen Spielen seiner Führung überlassen. Wenn er in Bedrängnis geriet, war sie ihm mit bedenkenloser Treue beigesprungen. Später, als die Zeit der Spiele vom Ernst der Schule mehr und mehr überdeckt wurde, war Sara jederzeit bereit gewesen, ihm zuzuhören und alles zu bewundern, was er sagte, dachte und glaubte.

Beim Anblick der sechzehnjährigen Marie Julie Guernon war ihm, als sei ihm Sara neu geschenkt und wieder ganz nah. Dies linderte sein Heimweh; er atmete leichter und freier, sobald er Marie sah. Zunächst genügte ihm dies. Doch schon bald verlangte ihn danach, von ihr beachtet zu werden und zu erfahren, was er ihr bedeutete. Freilich, um die Gelegenheit zu einem ungestörten Gespräch mit ihr herbeizuführen, war er dank seiner weltfremden Seminarerziehung und seiner hinterwäldlerischen Abkunft viel zu linkisch und befangen. Marie hingegen war zu sehr wohlerzogene, wohlbehütete Tochter aus gutem Hause, um ihm auch nur mit einem Blick, einer Geste, anzudeuten, ob sie ihn gern sah oder nicht.

Die Familie des Kaufmanns Guernon wohnte im Vorort Miles End unmittelbar neben Riels Onkel John Lee. Die beiden Familien pflegten freundnachbarlichen Verkehr. Man ging sonntags gemeinsam zur Messe und verbrachte die Sonntagnachmittage und -abende zumeist miteinander. Dann wurde gesungen oder musiziert; Vater Guernon trug aus neuen Büchern vor, oder man las mit verteilten Rollen eines der klassischen französischen Schauspiele von Corneille, Racine oder Molière. Je nach dem Wetter spielte man auf dem Rasen des großen Gartens Krockett oder im Haus Halma und Domino.

Daß die Familie Lee ihren Schützling Louis Riel auch bei den Guernons einführte, war selbstverständlich. Wie bei den politischen Disputen der Männer im Haus seines Onkels oder seines Lehrherrn La Flamme blieb Louis Riel auch bei diesen Sonntagszusammenkünften zunächst nur Zaungast und stiller Zuhörer. Aber lange ertrug sein Ehrgeiz dies nicht. Es verlangte ihn brennend danach, in den Mittelpunkt zu rücken und beachtet zu werden — zumindest von Marie Guernon. Dies trieb ihn eines Sonntags gegen Ende des Sommers dazu, einige seiner Gedichte vorzulesen. Er bekannte sich nicht gleich zur Autorschaft, sondern fragte nur bescheiden, ob die Gesellschaft geneigt sei, statt klassischer Dichtungen Frankreichs Verse eines neuen kanadischen Autors zu hören.

Überrascht und begeistert stimmte man ihm zu. Ein auf kanadischem Boden gewachsener Dichter war dazumal etwas Neues und Rares. Das französischsprechende Kanada, das in jenem Jahr sein kulturelles Erbe neu entdeckte, sah in jeder solchen Stimme eine Verheißung — ein Zeichen dafür, daß sein Volk geistig nicht so unfruchtbar sei, wie ihm oftmals vorgeworfen wurde.

Louis Riel las ein Dutzend Gedichte. Die meisten von ihnen waren im letzten Jahr seiner Seminarzeit entstanden, als der Tod des Vaters und die Zweifel an seiner Berufung zum Priester wie ein Pflug sein ganzes Wesen bis zum Grund aufgewühlt hatten. Es waren unausgeglichene Gebilde voll jugendlicher Schwermut und Zweifelsucht, von Heimweh und Lebensangst überquellend: Tastende Versuche eines empfindsamen Gemüts, das noch keinen Weg gefunden hat, seinen Anspruch auf Geltung in Leben und Welt mit den eigenen Gaben in Einklang zu bringen.

Aber diese von Gefühl überströmenden, regellosen Verse spiegelten doch recht genau die Gemütsverfassung ihres Autors wider. Zu genau! So jedenfalls empfanden es die Älteren unter seinen Zuhörern, namentlich die Männer. Sie mutete das Bekenntnishafte dieser Verse wie eine peinliche, unschickliche Selbstentblößung des Autors an. Denn keiner bezweifelte auch nur einen Augenblick, daß Louis Riel selbst deren Verfasser war. Er hätte sich am Schluß gar nicht erst dazu bekennen müssen.

Zumindest auf eine der Zuhörerinnen jedoch übten seine Gedichte die Wirkung aus, die Riel sich von ihnen erhofft hatte: auf Marie Julie Guernon. Dies erfuhr er freilich erst einige Wochen später, als er sich an einem warmen Frühherbstnachmittag mit einem juristischen Lehrbuch in die Gartenlaube nahe der Hecke geflüchtet hatte, die den Garten der Lees von dem der Guernons trennte. Er ahnte nicht, daß Marie ihn dort in den letzten Wochen schon oft beobachtet und sich ihre Gedanken über ihn gemacht hatte.

Sie fand ihn von der ersten Begegnung an ebenso anziehend wie er sie. Es gefiel ihr zunächst vor allem, daß er sie — anders als ihre Brüder — stets mit feierlich-höflichem Ernst wie eine Dame behandelte. Doch sie fürchtete ihn auch ein wenig, weil sie seine Befangenheit und Zurückhaltung für Stolz, ja Hochmut hielt. Diese allmählich schwindende Furcht bekam neue Nahrung durch das, was ihr Vater nach jenem Nachmittag äußerte, an dem Riel seine Gedichte vorgelesen hatte.

»Ich traue diesem jungen Riel nicht über den Weg«, hatte Monsieur Guernon sich am Abend zu Hause mißbilligend vernehmen lassen. »Er hat eine wild wuchernde Phantasie, zu viel Gefühl und zu wenig Verstand! Und ich

glaube, er ist maßlos ehrgeizig und von sich selbst eingenommen. Habt ihr nicht bemerkt, wie er von seinen
eigenen Versen bewegt war? Ihm standen beim Lesen ja
die Tränen im Auge! Solche Leute halten sich insgeheim
für den Angelpunkt, um den sich die ganze Welt zu dre-
hen hat. Ihnen gegenüber ist äußerste Vorsicht geboten.
Denn wenn sich ihre Wünsche und Ansprüche nicht erfüllen, sind sie imstande, aus gekränkter Eitelkeit sich
selbst und andere zugrunde zu richten.«

Wenn auch Eltern und Brüder in der sechzehnjährigen
Marie immer noch ein Kind sahen, so war das junge
Mädchen doch längst nicht mehr naiv und gutgläubig
genug, die herben Worte des Vaters widerspruchslos hin-
zunehmen. Natürlich lehnte sie sich nicht vor den Ohren
der Familie dagegen auf. Doch am Abend jenes Sonntags
vertraute sie ihrem Tagebuch an: »Was Vater und andere
kluge Leute auch sagen mögen: L. R. ist doch ein echter
Dichter. Jedenfalls ist er genauso, wie ich mir einen Dichter immer vorgestellt habe: weiches dunkles Haar fließt
in üppigen Wellen von einer edlen, gedankenreichen
Stirn zurück. Und welche tiefen, lebensprühenden Augen
hat dieser Mann, wenn er einmal aus sich herausgeht!
Echte Dichteraugen! Bald sind sie schwermütig verhan-
gen, bald sanft und gütig; bald flammen sie herrisch und
bezwingend auf. Und diese Stimme, diese Stimme! Meistens spricht er leise und betonungslos. Doch bei seinen
Versen entfaltete sie sich zu beschwörender Kraft. Nie ist
mir der Klang einer Menschenstimme so ins Herz ge-
drungen.«

Aber Marie Julie Guernon war nicht nur ein junges Mädchen, dessen ahnungsbang ins Leben hinaustastendes
Herz in romantischen Gefühlen schwelgte. Sie war zu-

gleich die Tochter nüchterner, lebenskluger französischer Kaufleute und hatte deren Verstand geerbt. Deshalb war sie vorsichtig genug, ihre Bezauberung außer dem Tagebuch keinem anderen zu verraten — auch Louis Riel nicht. Doch bald nach Beginn des neuen Schuljahres steckte Marie unversehens arg in Nöten. Die Klassenlehrerin in der Schule der Grauen Schwestern, die sie besuchte, hatte ihren Schülerinnen die Aufgabe gestellt, einen Tag im Indianersommer zu beschreiben, und zwar so stimmungsvoll wie möglich — als ein Gedicht in Prosa sozusagen.

Das war nun eine Aufgabe, die Maries Talente weit überstiegen, denn eine literarische Ader war ihr nicht gegeben. Ihre Mutter konnte ihr auch nicht helfen; sie verstand noch weniger mit der Feder umzugehen als ihre Tochter. Als Marie nun Louis Riel studierend in der Gartenlaube sitzen sah, nahm sie allen Mut zusammen und rief ihn durch eine Lücke in der Hecke leise an. Er kam sogleich heran, und sie klagte ihm ihre Not: »Übermorgen schon soll ich den Aufsatz abliefern, und wehe, wenn er nicht gut ist! Sie sind doch ein Dichter, Monsieur Riel! Sie müssen mir helfen!«

Er antwortete nicht sofort, sondern lächelte sie an. Und dieses halb verlegene, halb beglückte Lächeln gewann ihm, wie Marie später bekannte, ihr Herz ganz. Dann sagte er bescheiden: »Ich will's versuchen, Demoiselle Marie.«

Diese Zusage machte sie so überglücklich, daß sie alles Damenhafte vergaß und ihm nach Schulmädchenmanier burschikos die Hand durch die Hecke hinstreckte: »Abgemacht?« Louis Riel schlug ein und hielt ihre Hand dabei so fest, daß Marie sie ihm schließlich verwirrt wieder entreißen mußte.

27

Er hätte sich diese unvermutete Aufgabe leichtmachen können. Das Wort gehorchte ihm ja gefügig, wenn er es darauf anlegte. Doch da er fühlte, er könne sich etwas Unwiederbringliches verscherzen, wenn er diesen Auftrag nicht befriedigend löste, saß er bis tief in den Abend hinein grübelnd in seinem Zimmer vor einem Stoß Papier. Er hörte den Nachtwind in den Bäumen rauschen, sah den Mond zu den Sternen emporsteigen und atmete den herbstlich bittersüßen Duft des Gartens ein. Und auf einmal verlor sich das schwerfällige grübelnde Suchen nach Wörtern, Bildern und Vergleichen. Die milde Wärme, Farbenfülle und klare Weite des Indianersommers am Red River stand plötzlich so bezwingend deutlich, so greifbar nah vor ihm, daß dieses Bild ihm die Feder in die Hand zwang. In weniger als einer Stunde war ihm das einzige in seiner Stimmung und Anschaulichkeit ganz dichte Versgebilde gelungen, das seinen literarischen Versuchen beschieden sein sollte.

Als er die letzte Zeile niedergeschrieben hatte, erfüllte ihn ein so starkes und reines Glücksgefühl, daß er nicht wußte: Sollte er nun niederknien, um seinem Schöpfer für diese Stunde der Gnade zu danken, oder sollte er in lauten Jubel ausbrechen? Am liebsten wäre er sofort zum Hause der Guernons hinuntergelaufen, um Marie herauszurufen und sie an seinem Glück teilnehmen zu lassen. Aber was hätte der Onkel John Lee oder gar der Vater Guernon dazu gesagt?

So überreichte er Marie das Gedicht und eine Transkription in stimmungsvolle, lyrische Prosa erst am nächsten Nachmittag in einem verschlossenen Umschlag. Als er am folgenden Nachmittag wieder seinen Platz in der Laube einnahm, fand er den Umschlag dort vor. Ihm fuhr bei diesem Anblick ein scharfer Stich durchs Herz, denn er fürchtete, Marie sei entrüstet, weil er es gewagt hatte, ihr das Gedicht zu widmen. Hastig riß er den Umschlag auf. Ein Zettelchen fiel heraus.

»Der Aufsatz ist viel zu gut! Ich darf es nicht wagen, ihn abzuliefern, aber ich habe ihn mir zunutze gemacht. Doch das Gedicht darf ich behalten, nicht wahr? Ich hab' noch nie etwas so Schönes gelesen. Vielen, vielen Dank — von ganzem Herzen, Ihre M.«

Louis Riel mißdeutete dieses harmlose Briefchen so gründlich, daß er darauf mit einem allzu voreiligen, verwegenen Schritt antwortete. Er bat wenige Tage später mit einem leidenschaftlich bewegten Brief Monsieur Guernon, ihm Marie zur Frau zu geben, »sobald ich über das Erbe meines Vaters uneingeschränkt verfügen kann.« Die Antwort war bestürzend. Sie gipfelte in einem Satz, der nicht nur Louis Riels Liebesträume wie ein Hagelschlag vernichtete, sondern bis ins Mark seines Wesens eine nie ganz verheilende Wunde riß.

Guernon schrieb: »Wie immer Ihre Vermögenslage sich auch gestalten mag: Selbst wenn Sie dadurch zu einem Krösus gemacht werden, würde ich meine Tochter doch niemals einem Metis, einem Halbindianer, zur Frau geben.«

„Ich bin ein Metis und stolz darauf!"

Drei Tage nach Empfang dieses Briefes verließ Louis Riel Montreal, um — wie er seinem Onkel John Lee erklärte — nach Hause zurückzukehren und seiner Mutter und seinen jüngeren Geschwistern nahe zu sein und hilfreich zur Seite zu stehen. Was er in diesen drei Tagen gedacht und durchlitten hat, kann man nur ahnen. Es durchzieht als ein schmerzlich dunkler, zugleich aber auch seltsam hochfahrend aufbegehrender Unterton den Antwortbrief, den Maries Vater, Monsieur Guernon, erhielt, als Riel Montreal bereits verlassen hatte.

Darin heißt es: »Monsieur, es ist wahr, daß meine Abkunft bescheiden ist und eine ihrer Wurzeln in sogenannten Wilden hat. Doch es verhält sich einmal so und entspricht nicht nur dem, was mich Eltern und Priester gelehrt haben, sondern auch meiner Überzeugung, daß ich, wie das Gebot Gottes uns Christen vorschreibt, Vater und Mutter ehre. Warum sollte ich mich dessen schämen, daß in meinen Adern auch einige Tropfen indianisches Blut fließen? Sind nicht Weiße und Rothäute gleichermaßen Kinder des einen Gottes, den wir anbeten? Würden wir denn Christus etwa nicht als Gottes Sohn und Erlöser der Welt verehren, wenn er von seiner Mutter Seite her Negerblut in den Adern gehabt hätte?

Sie, Monsieur, schimpfen mich einen Bastard, einen Halbwilden, der nicht wert ist, ihre Tochter auch nur mit einer Fingerspitze anzurühren. Sie gebärden sich also, als ob es eine Schande sei, Blut und Wesenszüge zweier gottgeschaffener Völker in sich zu tragen.

Ich frage Sie, Monsieur: Woher nehmen Sie das Recht zu solchem Hochmut, der sich nicht nur über mich, sondern auch über jenen französischen Soldaten elsässischer oder schweizerischer Abkunft — Jean Louis Riel — erhebt, der nach unserer Familienüberlieferung mein Vorfahr ist? Beging er denn eine Todsünde, die weder von Gott noch von Menschen vergeben werden kann, als er die Uniform seines Königs abstreifte, in die man ihn vielleicht gegen seinen Willen gepreßt hatte? War es ein unsühnbares Verbrechen, daß er die Freiheit dort suchte, wo ihre Tore weit offen standen — in der Wildnis der Wälder Kanadas? Ist es ein unverzeihliches Vergehen gewesen, daß er, ganz auf sich allein gestellt, als Waldläufer und Fallensteller jeden Tag einer unbarmherzigen Wildnis abtrotzend, ein wenig Freude und Herzenswärme, ein bißchen Fürsorge ersehnte und deshalb ein indianisches Mädchen zur Frau nahm?

Sollte man diesen Jean Louis Riel und all den anderen Waldläufern seiner Art nicht vielmehr hoch anrechnen, daß er dem Glauben seiner Väter, der Sprache seines Vaterlandes treu blieb, obwohl ihn niemand dazu anhielt, keiner ihn dabei unterstützte? Daß er Glauben und Sprache darüber hinaus sogar noch an die Kinder weitergab, die ihm seine Indianerfrau gebar?

Und so wie mein Vorfahr, der Waldläufer Jean Louis Riel, haben Hunderte, haben Tausende gehandelt: Männer französischen, schottischen, irischen, britischen Blutes! Im Dienst der Pelzhandelsgesellschaften durchstreiften sie die kanadischen Wälder und Prärien, bahnten sie Wege durch die Wildnis nach Norden und Westen, erschlossen sie Urwald, Tundra und Steppe für die Zivilisation, schlugen sie Brücken zu den indianischen Stämmen. Ohne sie hätten die Weißen im Nordwesten dieses Kontinents nicht so lange in Frieden gelebt mit den Stämmen des roten Mannes — mit den Schwarzfüßen, den Cree, den Chippeway, den Naskapi, den Montagnais.

Dieser Leistungen wegen, aus Dankbarkeit gegen Gott und aus kindlicher Liebe zu Eltern und Vorfahren antworte ich Ihnen, Monsieur Guernon, auf Ihren hochmütig abweisenden Brief: Ich bin ein Metis, und ich schäme mich dessen nicht nur nicht, sondern bin sogar stolz darauf wie auf einen Adelsbrief . . .«

Mit diesem letzten Satz wird zum erstenmal in Louis Riels Leben deutlich formuliert und vernehmbar das Generalthema angeschlagen, das sein Fühlen, Denken und Handeln fortan immer dichter durchweben, immer stärker beherrschen sollte: »Ich bin ein Metis!« Dieser Ruf, trotziges Bekenntnis und Aufschrei der Qual zugleich, Gegnern stolz ins Gesicht geschrien, Freunden als Losungswort zugespielt, begleitete ihn von nun an auf allen seinen Wegen.

Metis — was heißt das? Es heißt nichts anderes als Mischblut und bezeichnet im Nordwesten Kanadas jenen Menschenschlag, der aus der Verbindung von Weißen und Indianern hervorgegangen ist. Die Geschichte dieses besonderen und eigenwilligen Menschenschlags beginnt vor gut dreihundert Jahren fast gleichzeitig mit der Gründung der Kolonie »Neufrankreich« durch Samuel de Champlain am St.-Lorenz-Strom. Französische Waldläufer, Kundschafter und Pelzhändler drangen in den folgenden Jahrzehnten (zwischen 1610 und 1670) immer tiefer in die endlosen Wälder an den großen Seen vor. Viele von ihnen verbanden sich mit Indianermädchen. Die Kinder aus diesen Verbindungen waren die Metis. Sie gingen seltsamerweise nicht, wie sonst in einem solchen Fall fast überall üblich, in den Stamm der Mütter auf, sondern bildeten im Laufe der Zeit eine eigene Nation.

Es gab neben Metis mit überwiegend französischem Blutanteil auch solche mit schottischen, irischen und britischen Vorfahren — zumal im Ruperts-Land, wo vor allem viele

Schotten auf den Faktoreien der HBC tätig waren. Doch die Nachfahren französischer Stammväter blieben in der Überzahl. Sie spielten namentlich im Pelzhandel als Kanumänner, Waldläufer, Wegführer, Fallensteller und Büffeljäger eine wichtige Rolle.

Wenn Louis Riel in seinem Brief an Monsieur Guernon mit Stolz hervorhebt, die Metis hätten eine Brücke zu den Indianern gebildet, so stimmt dies nicht ganz. Obwohl sie durch ihre Vorfahren mütterlicherseits mit allen Stämmen des Nordens versippt waren, blieben die Metis doch »eine Rasse zwischen den Rassen« — mit beiden verwandt, aber von keiner als vollgültig angesehen und angenommen. Ihre indianischen Vettern betrachteten sie als Handlanger der Weißen mit Mißtrauen. Die Metis selbst hingegen sahen auf die Indianer herab und hielten betont Abstand von ihnen.

Die Metis heirateten fast nur untereinander. Sie hielten auch zäh an ihrem besonderen Dialekt fest, den »Beaugay«, einer seltsamen Mischung aus altertümlichem Französisch, Cree-Indianisch und Gälisch. Sie selbst bezeichneten sich untereinander nie als Metis, sondern nach ihrer bräunlichen Hautfarbe als »Bois-Brulés«: Angesengtes Holz . . . Erst als sie sich immer mehr von Benachteiligungen und Bedrückungen durch die Weißen, namentlich durch die Briten und Anglokanadier, bedrängt sahen, bekannten sie sich mit einem gewissen trotzigen Stolz zu der Bezeichnung Metis.

Solchen Bedrängnissen sahen sie sich jedoch erst seit etwa 1840 ausgesetzt. Solange die Riesendomäne der HBC, das Ruperts-Land, als einzige Wirtschaftsform die Pelztierjagd und den Pelzhandel kannte, waren die Metis unangefochten geblieben. Die HBC wußte ihre Dienste als

Kanu- und Schlittenführer, Jäger und Fährtensucher zu sehr zu schätzen, um eine Diskriminierung zu dulden. Solange der Pelzhandel blühte, ging es auch den Metis gut. Zudem fühlten sie sich unter der im allgemeinen väterlich strengen, aber zugleich auch unbürokratisch lässigen Herrschaft der HBC wohl. Sie behelligte die Einwohner des Ruperts-Landes weder mit Steuern, noch gängelte sie deren Freiheit mit allzu vielen Gesetzen und Vorschriften. Die Metis durften also unangefochten als Waldläufer und Jäger das freie Leben führen, das seit jeher ihr Ideal war.

Im Laufe der Zeit war ihre Kopfzahl auf etwa 40 000 angewachsen. Die Mehrheit hauste weit verstreut in dem etwa drei Millionen Quadratkilometer großen Ruperts-Land. Nur am Red River und Assiniboine siedelten sie dichter. Hier bildeten sie mit etwa 14 000 Köpfen die stärkste Gruppe unter den Einwohnern dieses Gebiets; nur hier waren zwischen 1820 und 1860 viele von ihnen vom halbnomadischen Jäger- und Waldläuferleben zur Seßhaftigkeit als Handwerker, Landwirte, Frachtfahrer und Kaufleute übergegangen. Durch ihre Hände lief zum Beispiel fast der gesamte Warenaustausch mit dem oberen Mississippi-Tal. Es verdroß sie sehr, daß die HBC diesen Handelsverkehr nur ungern sah und so klein wie möglich zu halten suchte. Trotzdem gab es um 1860 einige verhältnismäßig wohlhabende Familien unter ihnen — die Nolins zum Beispiel; daß die Riels nicht zu ihnen gehörten, lag mehr in der Unrast des Familienoberhauptes als in der Ungunst der Verhältnisse begründet.

Aber gerade dieser Übergang zur Seßhaftigkeit wie der zunehmende Einfluß der Geldwirtschaft und die Wechselwinde der Politik die aus den Vereinigten Staaten und aus den britischen Kolonien auf kanadischem Boden auch zum Red River herüberwehten, zogen die Metis in Konflikte hinein. Dies begann damit, daß sich die HBC seit 1815 immer mehr bereit fand, das Gebiet am Red River und Assiniboine bäuerlichen Siedlern zu öffnen. Mit den katholischen Schotten und Iren, die zuerst in kleinen Schüben kamen, vertrugen sich die Metis nach anfänglichen Reibereien gut.

Seit 1840 nahm jedoch die Zahl der Neusiedler aus England und aus dem benachbarten Ontario ständig zu. Diese traten den Metis von vornherein ablehnend, ja feindselig entgegen. Sie gingen darin so weit, daß sie den Metis als Halbindianern das Anrecht auf Grundbesitz und Mitsprache im beratenden Parlament der Red-River-Kolonie, dem sogenannten »Assiniboine-Rat«, bestritten. Da sich die Herrin des Landes, die HBC, hiervon nicht beeinflussen ließ, suchten die britischen Neusiedler Rückhalt in Kanada und in London. Dort machten sie Stimmung für ihren Standpunkt, die Metis müßten den Indianern gleichgestellt werden, damit im Gebiet am Red River und Assiniboine »weißen Mannes Land und Recht« nicht irgendwie eingeschränkt werden könne.

Diese Agitation richtete sich vor allen gegen die HBC, der man Unbeweglichkeit in der Verwaltung und unzeitgemäßes, fortschrittsfeindliches Monopoldenken im Handel vorwarf. Nicht ganz zu Unrecht; die Existenz dieses Kaufmannsreiches im Nordwesten Amerikas war in der Tat nicht mehr zeitgemäß. Ein Gebiet von solcher Riesengröße mit einer Bevölkerung von so unterschiedlicher sprachlicher, religiöser und ethnischer Zusammensetzung ließ sich nicht mehr länger so altväterisch regieren und bewirtschaften wie etwa ein Gutshof mit Pächtern, Tagelöhnern und Gesinde. Diese Einsicht bewog die HBC schließlich dazu, ihre Riesendomäne Ruperts-Land nach fast dreihundertjährigem Bestehen 1868 an das Dominion Kanada zu verkaufen.

Bedrohliches „Nordlicht"

Als Louis Riel im Dezember 1868 in seine Heimat zurückkehrte, fand er sie stärker verändert, als er ahnte. Die Ortschaften um die alte Residenz der HBC Fort Garry waren in diesen letzten zehn Jahren erheblich gewachsen und in ihrem äußeren Bild städtischer geworden — zwar roh und regellos, unfertig und häßlich, verglichen mit den alten Städten im Osten, aber sie waren nicht mehr die Blockhütten-Weiler vergangener Jahre. Noch war überall die Weite der Prärie übermächtig spürbar, doch ließ sich bereits ahnen, daß man ihre Grenzen bald immer mehr zurückdrängen und die Freiheit ihrer vom Gras überwucherten Erde dem Pflug, den Umzäunungen und dem Netz der Straßen unterwerfen würde.

Schon in den ersten Tagen fand Riel heraus, daß seine Metis-Landsleute ratlos vor der Frage standen, wie sie sich zu all dem Neuen stellen sollten, das durch den Verkauf des Ruperts-Landes an Kanada auf sie zukommen mußte. Die meisten schlossen die Augen und befolgten das alte Rezept, mit dem sich die Metis seit eh und jeh in kritischer Lage beholfen hatten: Kommt Zeit, kommt Rat, wenn man Gott vertraut und ihn allein walten läßt. Kirchenfromm, wie die meisten von ihnen waren, verließen sie sich darauf, ihre kirchliche Obrigkeit, voran der

Bischof von St. Boniface, werde schon rechtzeitig und mit Nachdruck und Umsicht das Ihre tun, um ihren Pfarrkindern das Recht auf eigene Sprache und Religion ungeschmälert zu erhalten.

Vielleicht ahnte nur Riel, wie unbegründet diese letzte Erwartung war. Er hatte in Montreal erkannt, daß sich die katholische Kirche in Kanada einstweilen in einem schwierigen Abwehrkampf befand, der ihr äußerste Vorsicht aufzwang. Nur wenn die Metis ihren Selbstbehauptungswillen aus eigenem Antrieb und mit eigener Kraft nachdrücklich sichtbar machten, durften sie hoffen, ihre Rechte zu wahren und zu verhindern, daß sie untergepflügt wurden wie das Büffelgras der Prärie, die man in Ackerland verwandelte. Ihm entging nicht, daß sich die anderen Siedler am Red River schon lange und weitaus besser auf das Neue vorbereitet hatten. An ihrer Spitze stand ein Mann, in dem den Metis in den letzten Jahren ein ebenso erbitterter wie verschlagener Gegner erwachsen war: der Doktor John C. Schultz.

Der amerikanische Journalist James Hargrave beschreibt diesen Mann als »eine Gestalt von großer physischer Kraft, ausgezeichnet durch Intelligenz, Mut und Beredsamkeit, doch von zweifelhaftem Charakter: verlogen, tückisch, rachsüchtig und maßlos in seinem Ehrgeiz. Wie schon sein Name verrät, war er als Sohn deutscher Einwanderer geboren, und zwar in Ontario, legte es jedoch nach Renegatenart darauf an, britischer zu sein als die geborenen Briten.«

Sein Haß gegen die Metis soll die Ursache in folgendem Erlebnis haben: Die HBC hatte den jungen Mediziner 1860 als Distriktsarzt nach Fort Garry geholt. Auf seiner ersten Dienstreise zum Saskatchewan mußte er während eines heftigen Präriegewitters Zuflucht im Hause des Metis-Büffeljägers Jean Gaulois suchen.

Nach Metis-Brauch wurde er gastfreundlich aufgenommen, mit trockener Kleidung versorgt und, da es Mittagszeit war, zu Tisch gebeten. Als Dr. Schultz sah, daß die Hausfrau acht Näpfe auf den Tisch stellte — zwei für die Eltern, fünf für die bereits hungrig herandrängenden Kinder, einen für den Gast, fuhr er sie hochmütig an: »Gute Frau, Sie bilden sich doch wohl nicht ein, daß sich ein Gentleman bei dem Kroppzeug da niederläßt, das sich wie Schweine zum Trog drängelt? Servieren Sie das Essen gefälligst erst für mich allein!«

Frau Gaulois wollte schon gehorchen und die Kinder wieder hinausscheuchen. Doch in diesem Augenblick kam Jean Gaulois herein. Er hatte durch die offene Tür Schultz' arrogante Worte gehört und sagte ruhig: »Laß die Kinder nur hier, Louise! Sind sie etwa nicht die Kinder eines Gentlemans? Ist dies nicht mein Haus? Habe ich das, was auf den Tisch kommt, nicht mit meinen Händen erarbeitet? Und da soll ich kein Gentleman sein? Wer mir das bestreiten will und sich zu gut dünkt, mit mir und den Meinen aus einem Topf und an einem Tisch zu essen, der ist ein Flegel und kein Gentleman und hat hier nichts zu suchen.«

Und damit packte er den Arzt wie einen jungen Hund, der sich gegen die Stubenreinheit versündigt hat, am Genick und warf ihn mit solcher Wucht zur Tür hinaus, daß Schultz bäuchlings mehrere Meter weit über den schlammig aufgeweichten Prärieboden rutschte.

Hätte Gaulois diesen Zwischenfall für sich behalten, dann hätte Dr. Schultz sich wohl über die Demütigung hinweggesetzt. Aber Jean Gaulois war wie die meisten Metis ein erzählfreudiger Mensch. So kam die Geschichte schnell herum und hing dem Doktor noch lange an. Wo immer er sich bei Metis sehen ließ, ging ein verstohlenes Grinsen über die Mienen der Leute, und das verzieh er ihnen nie. Um diesem Grinsen zu entgehen, kündigte er schon nach einem Jahr seinen Vertrag mit der HBC auf, verzichtete fast ganz auf die Ausübung seines Arztberufs und wandte sich statt dessen anderen gewinnversprechenden Tätigkeiten zu.

»Er gehörte bald« — schreibt Hargrave — »zu der im Wilden Westen nicht kleinen Zahl erfolgreich politisierender und handeltreibender Ärzte, betrieb ein Ladengeschäft in Winnipeg und wurde Mitinhaber einer Zeitung, die scharf gegen die HBC und die Metis agitierte, und als es ihm dann noch gelang, die erste Freimaurerloge Zum Nordlicht in Winnipeg zu gründen und zu deren erstem Meister vom Stuhl gewählt zu werden, hatte sein Ehrgeiz das erste Ziel erreicht: Er war anerkannter Sprecher und Anpeitscher der sogenannten Kanada-Partei geworden.

Als nächstes Ziel faßte er ins Auge, Minister im ersten Kabinett des Nordwestterritoriums zu werden, sobald das Ruperts-Land ein Bestandteil des Dominions Kanada geworden war. Daß ihm dies nur gelingen konnte, wenn der Metisbevölkerung, die noch immer die Mehrheit im Land am Red River bildete, die politischen Rechte versagt würden, wußte niemand besser als Dr. John Schultz. Deshalb bemühte er sich unaufhörlich, die Regierung in Ottawa in seinem Sinn zu beeinflussen. In welchem Geist dies geschah, erweist sich aus einem Artikel in Schultz' Sprachrohr »The Nor'wester«, in dem es heißt: »Wir müssen Verständnis dafür haben, daß Ottawa militärische Aktionen erst einleiten kann, wenn es der Welt bewiesen hat, daß alle friedlichen Mittel erschöpft sind. Unsere Aufgabe aber muß es sein, diese widerwärtige Halbblutbande niederzuhalten und ihr klarzumachen, wo ihr Platz in diesem Land ist: am Gesindetisch oder im Reservat. Nur wenn uns dies nicht gelingt, wird keine andere Wahl bleiben, als die Waffen sprechen zu lassen — nicht nur die unseren, sondern auch die regulärer Truppen. Die Sprache des Skalpiermessers und des Infanteriebajonetts wird die elenden, großmäuligen Bastarde dann gewiß zur Vernunft bringen, falls alle anderen Mittel vorher versagen sollten!«

Diese anderen Mittel hießen Einschüchterung und Entrechtung. Dr. Schultz und seine Partei wandten sie bedenkenlos an, um vollzogene Tatsachen zu schaffen, noch ehe die britische Krone als letzte Instanz den Kaufvertrag zwischen der HBC und dem Dominion Kanada gebilligt und völkerrechtlich in Kraft gesetzt hatte. Bis dies geschah, war das Gebiet am Red River und Assiniboine praktisch Niemandsland und in einem Zustand der Rechtsunsicherheit, von dem das Faustrecht zynisch und brutal profitierte, sofern sich nicht jemand fand, der den Mut besaß, sich dagegen zur Wehr zu setzen.

Welch ein gesegneter Tag . . .

»Welch ein gesegneter Tag!« André Nault, der Fährmann und Müller von St. Boniface, stieß seinen Neffen Louis Riel vergnügt in die Rippen. »Sag doch selbst, Louis, hätte ich einen schöneren Tag für Bernards Hochzeit wählen können? Bleibt das Wetter von jetzt an so, dann bekommt unsere Mühle im Spätsommer so viel zu tun, daß uns kein Tag lang genug sein wird und sich jeder Farmer ein Dutzend Arme wünscht.«

»Ja, wenn . . .« erwiderte Louis Riel gedehnt. »Und wenn sich diese endlosen Mairegenfälle nicht im Juni wiederholen! Und wenn nicht, wie im Vorjahr, die Heuschrekken die Saatfelder kahlfressen oder im August Gewitterstürme die Ernte auf dem Halm plattwalzen.«

Über Naults selbstzufrieden heiteres Gesicht lief ein Schatten: »Du bist wie dein Vater«, sagte er verdrießlich. »Ein unverbesserlicher Nörgler und Sorgenkrämer! Hol's der Teufel! Metis-Art ist das nicht. Aber ich weiß, woher ihr das habt: Ihr wollt modern sein, mit der Zeit gehen, und zerbrecht euch immerfort den Kopf, wie das zu machen ist. Davon wird euch das Herz schwer und das Auge blind für alles, was das Leben freundlich macht.«

Riel wollte gerade zu einer hitzigen Erwiderung ansetzen und dem Fährmann sagen, es sei zur gegenwärtigen Zeit für die Metis nicht nur leichtfertig, sondern auch gefährlich, bedenkenlos nach der Devise »Heut ist heut« in den Tag hinein zu leben. Doch er kam nicht dazu, denn schon in diesem Augenblick gewann Naults unbeirrbar lebensfrohes Temperament wieder Oberwasser. Seine flinken Augen hatten aufs neue etwas Erfreuliches erspäht, und er rief vergnügt: »Sieh da, die Fähre bekommt zu tun!«

Dabei deutete er auf die Landstraße, die vom Südosten her zur Fährlände führte. Dort tauchte eben eine Planwagengruppe aus dem Pappel- und Weidengehölz auf, das den Mühlen- und Fährhof gegen die Nord- und Ostwinde schützte. André Nault liebte sein Fährmannshandwerk mehr als die Mühle, die er nach dem Tod seines Schwagers Riel eigentlich nur der Familie zuliebe weiterführte. Julie Riel und ihre Kinder hätten sonst hungern müssen, und das litt Naults ausgeprägter Familiensinn nicht. Die Kunden seiner Mühle ließ er mitunter ohne Gewissensbisse warten, die Gäste seiner Fähre niemals.

Auch heute wartete er trotz des Hochzeitsfestes in seinem Haus nicht ab, bis der Planwagenzug das letzte Wegstück zur Lände zurückgelegt hatte. Er trat in die offene Haustür, klatschte schallend in seine mächtigen Pranken, so daß er den fröhlichen Lärm im Innern des Hauses übertönte, und rief hinein: »He, Jacquot, Michel! Die ersten Prärieschoner sind da!«

Das Stimmengewirr im Haus verstummte. Gleich darauf drängte die ganze Gästeschar neugierig ins Freie. Die Ankunft von Neusiedlern, die mit ihren »Prärieschoner« genannten Planwagen über den Red River ins Assiniboine-Tal strebten, war jedesmal ein Ereignis, das sich die Ansässigen nur ungern entgehen ließen.

Nicht alle sahen diese Fremden gern, die von Osten her ins Land kamen, um hier Ackerbau zu treiben. Sie befürchteten, wenn hierzulande der Pflüger dem Jäger die Vorhand abgewann, werde es bald mit dem vorbei sein, was Herzensfreude und Stolz der Metis war: mit der Freiheit der Prärie, die ihnen erlaubt hatte, sich ihr Leben so einzurichten, wie sie es wünschten. Hätte ihnen jemand erklärt, diese Freiheit sei eine Illusion, in Wahrheit seien sie als Tagelöhner der Pelzhändlergesellschaften so abhängig und ständig am Rande der Armut geblieben wie alle Lohnarbeiter überall in der Welt: die Metis hätten ihm nicht geglaubt.

Einige von ihnen ahnten freilich, wie ernsthaft die beginnende Verwandlung der Prärie von Büffeljagdgrund zum Farmland ihre Existenz bedrohte. Sie waren deshalb weiter nach Westen, den Saskatchewan aufwärts, gezogen, wo Jäger und Fallensteller ihr Reich einstweilen noch ungestört für sich hatten. Die am Red River und Assiniboine Zurückbleibenden ließen sich davon wenig anfechten. Um so dringlicher wäre es gewesen, daß sie sich zusammenschlossen und ihre Rechte wahrten, ehe die Zuwanderer die Mehrheit stellten und die Alteingesessenen an die Wand drückten. Aber einstweilen sah diese Gefahr offenbar nur einer ganz klar: Louis Riel. Und doch wußte er nicht, wie er seine Landsleute wecken und ihnen ihre Rolle begreiflich machen sollte.

Es war freilich auch schwer, Männern wie etwa dem Fährmann und Müller André Nault bewußt zu machen, was ihnen drohte. Sie hielten sich ans Greifbare, Nächstliegende, und deshalb war ihnen mit Worten allein nicht beizukommen, selbst wenn man mit feuriger Zunge auf sie einredete. Nault sah nur dies: Je mehr Weizen am Assiniboine und Red River angebaut wurde, um so mehr florierte seine Mühle, und mehr Weizen konnte nur auf den Feldern wachsen, wenn mehr Farmer kamen und die Prärie unter den Pflug nahmen. Je mehr Farmer kamen, um so besser gedieh das Geschäft des Fährmanns: Jeder Planwagen, der weiter nach Westen, ins Assiniboine-Tal, wollte, mußte sich seiner Fähre bedienen. Einen anderen brauchbaren Übergang über den Red River gab es nicht.

Nault hielt aber auch darauf, sich den Fährlohn redlich zu erwerben. Denn auch dies war den Metis im jahrhundertelangen Dienst beim Pelzhandel in Fleisch und Blut übergegangen: daß nur eine Leistung von vollem Maß Anspruch auf ungeschmälerten Lohn hatte. Ihr Stolz hätte es nicht ertragen, wäre ihnen Pfuscherei oder Nachlässigkeit vorgeworfen worden. »Ganz oder gar nicht« —

das war ihre Devise bei jeder Arbeit, und daran hielt sich auch André Nault.

Jede Fracht führte er umsichtig und sicher durch die starke Strömung des Red River, und das war kein Kinderspiel. Von wenigen Wochen im Spätsommer abgesehen, führte der Strom viel Wasser und schoß ungebärdig durch sein breites, von Sandbänken durchsetztes Bett. Es brauchte Erfahrung und starke Arme, den Fährprahm sicher ans andere Ufer zu bringen, wo hinter ihren Palisaden die Gebäude von Fort Garry wie eine Festung aufragten.

»Nur keine Angst, wir bringen euch schon hinüber, ohne daß euch der Hintern naß wird«, suchte Nault die Landfremden zu beruhigen, wenn sie besorgt auf die reißende, wirbelnd dahinziehende Flut des rotbraunen Wassers starrten, dem der Strom seinen Namen verdankte. Der Fährmann lachte dabei so aufmunternd und gutmütig, daß sich ihm selbst die unter den Fremden anvertrauten, die sein dunkelbraunes Gesicht zunächst mißtrauisch gemustert und mehr oder weniger laut Bedenken dagegen geäußert hatten, Leben, Hab und Gut »solch einem unzuverlässigen Farbigen« anzuvertrauen. Nault hatte längst gelernt, derartige kränkende Anmerkungen zu überhören. Er wußte, wenn er und seine beiden Söhne Michel und Jacquot sich mit ihren starken Armen und mächtigen Pranken ins Ruder legten, schwand nicht nur dieses von Vorurteilen genährte Mißtrauen schnell. Nein, die Beschämung darüber drückte sich dann meistens in einem freiwilligen Zuschlag zum Fährlohn aus.

Die Hochzeitsgäste des Fährmanns beobachteten gespannt den Planwagenzug, der am Rand des Gehölzes angehalten hatte. Man sah einige Männer absteigen und die

Pferde ausspannen. Der nun eigentlich fällige Ruf nach dem Fährmann blieb jedoch aus.

»Nanu, wollen die hier schon rasten?« sagte Vater Nault enttäuscht. »Sie haben doch noch den ganzen Nachmittag vor sich!«

»Ich wäre nicht böse darüber«, erwiderte sein Sohn Jacquot lachend. »Sonst hätten wir ausgerechnet an Bernards Hochzeit noch eine stundenlange Plackerei!«

»Rede nicht so leichtfertig«, wies ihn sein Vater zurecht. »Du weißt doch: der Fährmann . . .«

»Ist wie Hochwürden, der Herr Pfarrer«, ergänzte Michel vergnügt die wohlvertraute Redensart des Vaters. »Wenn ihn jemand ruft, muß er kommen, auch wenn's ihm nicht behagt.«

Alles lachte. Nur Vater Nault verzog unwillig das Gesicht. »Laß gut sein, Vater«, sagte Jacquot. »Die da drüben werden sich schon melden, wenn sie uns brauchen!« Und den anderen Hochzeitsgästen rief er zu: »Kommt, laßt uns weiterfeiern!«

Er ging wieder in das Haus, und die anderen folgten ihm. Nur der Fährmann André Nault und sein Neffe Louis Riel blieben auf der Veranda stehen und schauten weiter zu den Planwagen hinüber. Sie beobachten, wie die Fremden Zelte aufstellten und Kochfeuer in Gang brachten.

Das alles war nichts Ungewöhnliches hier an der Fährlände. Aber etwas war anders als sonst: Leute, die am Assiniboine Neuland unter den Pflug nehmen wollten, brachten für gewöhnlich ihre Familien und einen kleinen Viehbestand mit. Bei diesen Planwagen aber zeigten sich weder Frauen noch Kinder, und auch Rinder, Hunde und Schafe fehlten.

Dies fiel zuerst Louis Riel auf. Es beunruhigte ihn sofort, ohne daß er hätte erklären können, warum. Seine Unruhe steigerte sich noch, als er wahrnahm, daß einige der Fremden von einem der Wagen ganze Bündel zweifarbiger Meßlatten und Meßketten abluden. Warum, fragte er sich, packten Landmesser und noch dazu offensichtlich Landfremde — hier im längst aufgeteilten und besiedelten Kerngebiet der Red-River-Kolonie ihre Handwerksgeräte aus? Besorgt schritt er hinter dem Rücken André Naults auf der Veranda auf und ab, um sich klar zu werden, was von seiner Beobachtung zu halten sein mochte.

Louis Riel stach von den anderen jungen Männern der Hochzeitsgesellschaft nicht nur durch seine auffällige Blässe und Schmächtigkeit, sondern vor allem durch seine Kleidung ab. Alle anderen hatten sich zu Ehren des Festtags in feierlich schwarze Anzüge, weiße gestärkte Wäsche und hohe steife Kragen mit üppig flatternden Krawatten gezwängt. Der junge Riel hingegen war ausgesprochen eigenwillig, um nicht zu sagen absonderlich gekleidet. Er trug eine fußlange weite Priestersoutane, dazu aber nicht den üblichen steifen Rundkragen, sondern ein weißseidenes locker geknüpftes Halstuch und an den Füßen nicht feste schwarze Lederschuhe, sondern weiche bräunlichgraue Indianermokassins.

Er wartete darauf, daß auch André Nault auf das ungewöhnliche Verhalten der Fremden aufmerksam wurde. Aber da der Fährmann nichts Auffälliges zu bemerken schien, wies ihn Louis Riel endlich darauf hin. Nault zuckte die Achseln. »Was geht's uns an«, sagte er leichthin. »Komm wieder mit ins Haus. Sie werden gleich anfangen zu tanzen, und wenn du dabei auch kaum mithalten wirst, so sind doch noch ein paar gute Flaschen Rotwein da. Wir erfahren morgen noch früh genug, was die Fremden da drüben im Sinn haben.«

In diesem Augenblick kam der Hochzeiter, sein Sohn Bernard, mit dem alten Farmer John Bruce auf die Veranda hinaus. Sie hatten die letzten Worte des Fährmanns gehört und wollten wissen, worauf diese anspielten. Louis Riel berichtete. Da rief Bernard Nault erregt: »Nein, nein, das kann nicht bis morgen warten, das ist zu wichtig. Gut, daß du deine Augen offengehalten hast, Louis! Ich habe noch nie gesehen, daß reisende Landmesser ihre Geräte anderswo als an ihrer Arbeitsstätte abladen. Komm, Vater, wir wollen uns diese Leute einmal näher ansehen und sie nach Woher und Wohin fragen.«

»Nein, ihr beiden bleibt hier«, mischte sich Louis Riel so bestimmt ein, daß ihn die anderen erstaunt ansahen. »Ich werde gehen, denn mein Englisch ist besser als das eure. Es könnte ja sein, daß es einen Wortwechsel gibt.«

»Du fürchtest Streit, Louis«, fragte John Bruce besorgt. »Dann will ich mitkommen. Du bist mir zu hitzig und auch zu argwöhnisch.«

Riel errötete. John Bruce war der einzige, dem er seine Sorgen um die Zukunft des Red-River-Landes ganz offenbart hatte, um diesen hochgeachteten und einsichtigen Mann für eine stärkere politische Aktivität der Metis zu gewinnen. Bruce hatte ihn zwar geduldig angehört, sich aber bisher nicht ganz davon überzeugen lassen, daß die Umtriebe des Dr. Schultz und seiner Kanada-Partei wirklich so bedrohlich seien und in Ottawa so viel Einfluß besaßen, wie Riel befürchtete.

»Wenn diese Leute da drüben vernünftig sind, hast du von meiner Zunge nichts zu befürchten«, antwortete Riel leicht gekränkt, als sie auf das Wagenlager zuschritten. »Aber du kennst doch die Kerle aus Ontario. Immer meinen sie, sie müßten gegen uns den Herrn herauskehren.«

»Du meinst, weil wir Metis sind?«

»Haben wir das jetzt nicht oft genug erlebt?«

»Bei Neusiedlern selten«, erwiderte Bruce gelassen. »Und ich kann noch immer nicht glauben, daß es sich um andere Leute handelt. Was hätten Landmesser hier zu suchen? Der Resident hat keinen neuen Vermessungsauftrag vergeben. Dies wäre sonst im Mai, bei der letzten Sitzung des Assiniboine-Rats, zur Sprache gekommen.«

»Gebe Gott, daß du recht behälst, Onkel Bruce«, sagte Louis Riel. »Aber ich fürchte, du täuschst dich! Ich habe ein ungutes Vorgefühl.«

Sie hatten die Zelte nun erreicht. John Bruce fragte den ersten Fremden, der ihnen in den Weg kam, freundlich: »Nun, Fremder, wohin soll eure Reise gehen?«

Der Gefragte starrte ihn argwöhnisch an und erwiderte abweisend: »Was geht's dich an, Alter? Sehe nicht ein, warum ich dir das sagen sollte.«

»Ich bin Mitglied des Assiniboine-Rats, mein Sohn«, sagte John Bruce würdevoll. »Das gibt mir ein Recht, Landfremde nach Woher und Wohin zu fragen, wenn ihr Verhalten mir auffällt. Wer ist der Sprecher eures Wagenzugs? Führe mich bitte zu ihm.«

Seine ruhige Würde und Festigkeit blieb offenbar nicht ohne Eindruck auf den Fremden. Er deutete jedenfalls auf einen Mann, der mit einer Landkarte in der Hand an einer Wagendeichsel lehnte. Die drei Metis gingen auf ihn zu, begrüßten ihn, und John Bruce wiederholte seine Frage. Der Hinweis auf den Assiniboine-Rat verfehlte auch diesmal seine Wirkung nicht.

Der Fremde nannte seinen Namen: John A. Snow und fügte hinzu: »Da Sie's so genau wissen wollen, will ich es Ihnen sagen: Ich führe einen Vermessungstrupp, der die Trasse für eine neue Straße festlegen soll, die Winnepeg und Fort Garry mit dem Oberen See verbindet.«

»Hat Sie Mister MacTavish, der Resident der Hudson's Bay Company im Ruperts-Land, damit beauftragt?« fragte John Bruce weiter.

»Nein, die Regierung in Ottawa natürlich«, antwortete Snow erstaunt, ja entrüstet. Daß ein anderer als seine Regierung ihm Aufträge erteilen könnte, empfand er offensichtlich als unvorstellbar.

»Aber die Regierung in Ottawa hat doch gar kein Recht, hierzulande Vermessungen durchzuführen und neue Straßen festzulegen«, mischte sich nun Louis Riel ein. »Sie befinden sich nicht mehr in der Provinz Ontario, Mister Snow. Der Grund und Boden, den Sie vermessen wollen, ist nicht herrenlos. Seine Eigentümer müssen um ihre Zustimmung gefragt werden. Was Sie tun sollen, Mister Snow, bedeutet einen unberechtigten Eingriff in bestehende Rechte.«

John Bruce nickte zustimmend und ergänzte bedächtig: »So ist es, Mister Snow. Ich meine, Sie tun gut daran, sich beim Residenten im Fort Garry zu erkundigen, ehe Sie mit Ihrer Arbeit beginnen.«

»Zum Teufel, davon hat man mir in Ottawa aber nichts gesagt«, erwiderte der Landmesser heftig. »Ich habe meinen Auftrag, und den führe ich aus!«

»Lassen Sie sich warnen, Mister Snow, damit es nicht zu Unzuträglichkeiten kommt«, rief Louis Riel und trat einen Schritt vor. Sein blasses Gesicht hatte sich gerötet und zuckte vor mühsam gebändigter Erregung.

»Was soll das heißen«, gab Snow aufgebracht zurück. »Wollen Sie mir drohen? Wollen Sie uns etwa mit Gewalt an unserer Arbeit hindern?«

»Das könnte geschehen, wenn Sie ohne Erlaubnis des Residenten und ohne Zustimmung des Assiniboine-Rats dort Vermessungen vornehmen und Straßen abstecken, wo die Eigentumsrechte am Boden bereits vergeben sind«, erwiderte Louis Riel scharf. »Hier hat Ottawa nichts zu befehlen.«

Snow geriet durch diesen unerwarteten Widerstand sichtlich in Verlegenheit. Offenbar hatten seine Auftraggeber ihn in dem Glauben gelassen, das Land am Red River und Assiniboine sei sozusagen herrenlose Prärie, auf der er sich nach Gutdünken bewegen könnte.

»Also gut«, sagte er einlenkend, »ich werde morgen in Fort Garry nachfragen und mit der Vermessungsarbeit erst beginnen, wenn diese Frage geklärt ist.«

Schon wollten sich Bruce und Riel befriedigt verabschieden, da trat aus dem Kreis der Fremden, die sich während des Disputs versammelt hatten, ein vierschrötiger Mann mit flammendrotem Haarschopf vor und sagte zu dem Landmesser: »Das wirst du nicht tun, Snow! Willst du dich etwa von diesen dreckigen Bastarden hier einschüchtern lassen? Ihr dämlichen Plattfußindianer wißt wohl nicht, was gespielt wird, wie? Sperrt eure ungewaschenen Ohren auf, und hört gut zu, damit endlich Licht in euren dusteren Schädeln wird: Euer Land hier wird bald zur Provinz Ontario gehören! Deshalb stecken wir hier die Straße nach Osten zum Oberen See ab. Und was eure angeblichen Eigentumsrechte an Grund und Boden angeht — kommt doch her, und zeigt uns die Besitztitel! Ihr habt sie doch hoffentlich verbrieft und gesiegelt, wie es in zivilisierten Ländern Brauch ist? Oder nicht? Nur auf Gelände, für das ihr Brief und Siegel vorweisen könnt, nehmen wir Rücksicht. Alles andere darf sich jeder nehmen, der von der Regierung eine Landzuweisung erhält. Soviel ich weiß, gehört hier im Ruperts-Land der gesamte Grund und Boden der HBC. Wo ihr also Land beackert oder Häuser errichtet habt, ist das bestenfalls stillschweigend geduldet worden. Eigentumsrechte habt ihr damit nicht erworben. Der Käufer des Ruperts-Landes, das Dominion Kanada, kann über allen Grund und Boden nach eigenem Gutdünken verfügen — auch über solchen, den schon jemand nutzt. So, nun wißt ihr Bescheid! Richtet euch danach, und haltet im übrigen hübsch den Mund, wie sich's für Farbige gehört in weißen Mannes Land!«

Er musterte die beiden Metis verächtlich, und ehe er sich von ihnen abwandte, um in den Kreis seiner beifällig grinsenden Genossen zurückzutreten, spie er ihnen vor die Füße.

Das war Louis Riels erste Begegnung mit Thomas Scott. Es sollte nicht die letzte und nicht die schlimmste bleiben.

„Bis hierher und nicht weiter!"

So geringfügig dieser Zwischenfall an der Red-River-Fähre bei St. Boniface auch war, für Louis Riel und seine Landsleute hatte er Folgen, deren Tragweite weder sie noch ihre Gegner abzusehen vermochten. Er öffnete den Metis endlich die Augen für das, was sie erwartete, wenn sie sich nicht dazu aufrafften, dem Anschluß ihres Landes an das Dominion Kanada geeint und mit deutlich umrissenen Zielen zu begegnen.

Louis Riel nutzte diese Stimmung. Den ganzen Sommer hindurch bereiste er die Metis-Niederlassungen am Red River und Assiniboine und warb für seinen Plan. Dieser bestand darin, am Red River einen Freistaat auszurufen, der sich jetzt schon aus der Vormundschaft der HBC löste und aus eigener Vollmacht zu entscheiden imstande war, ob und unter welchen Bedingungen er sich dem Dominion als selbständiges Staatsgebilde anschließen wollte.

Dieser Plan stieß zunächst auf ebenso viel Ablehnung wie Zustimmung. John Bruce, zum Beispiel, hielt Riel entgegen: »Wenn wir diesem Gedanken folgen, bedeutet es, daß wir versuchen, die uns Metis bedrängenden Fragen mit den Mitteln der Politik zu lösen — von außen nach innen also. Ich meine jedoch, wir können dieser Fragen nur Herr werden, wenn wir von innen nach außen vorgehen. Will sagen: Wir müssen uns durch den Geist unseres Glaubens und durch Erziehung stark zu machen suchen. Politik muß so, wie die Dinge hierzulande liegen, notwendig zu Gewalt führen. Bei gewaltsamen Auseinandersetzungen werden wir Metis schließlich die Unterlegenen sein, weil wir an Zahl und Mitteln zu schwach sind — gemessen an dem, was unsere Gegner aufbieten können.«

So dachten vor allem die älteren Familienväter. Die jüngeren Männer hingegen stimmten Riel nicht nur zu, sie waren ihrem leicht entflammbaren Metis-Temperament entsprechend auch sogleich bereit, ihre Gesinnung in Taten umzusetzen.

»Laßt uns unsere Gäule satteln und unsere Büchsen laden und dem Unfug der Ontario-Partei ein für allemal ein

Ende machen!« Dies bekam Riel von solchen hitzigen Anhängern immer wieder zu hören, und er hatte Mühe, sie von vorschnellen, unüberlegten Aktionen fernzuhalten.

»Wenn jetzt auch nur ein einziger Tropfen Blut fließt«, beschwor er sie, »dann ist unsere Sache verloren! Unsere Feinde werden dann in die Welt hinausposaunen, daß solches Blutvergießen beweist, wie recht sie haben, uns Wilde zu nennen, die keinen Anspruch auf zivilisierte Behandlung und irgendwelche Rechte haben. Nur wenn wir untereinander einig sind und uns nicht zu Gewalttätigkeiten hinreißen lassen, wird man uns mit Respekt behandeln.«

Was Riel mit diesem sommerlichen Werbefeldzug erreichen wollte: die schnelle Gründung einer Red-River-Republik, mißlang ihm. So rasch, wie es ihm vorschwebte und nötig erschien, ließ sich die ererbte geistige Trägheit und politische Gleichgültigkeit seiner Metis-Landsleute nicht überwinden. Immerhin weckte seine Reise bei ihnen das Gefühl, daß es in ihrer Mitte jemand gab, der bereit und imstande war, ihren Ansprüchen und Gefühlen Stimme zu verleihen.

Er erreichte ferner etwas, das die Gegner der Metis, vor allem die Ontario-Partei des Dr. Schultz, wie ein Wunder — allerdings wie ein höchst unerwünschtes — anmutete. Die Anhänger der Ontario-Partei hatten darauf spekuliert, durch ihr herausforderndes, anmaßendes Verhalten die heißblütigen Metis zu blutigen Übergriffen hinzureißen. Diese sollten der kanadischen Regierung einen willkommenen Vorwand bieten, zum Schutz der kanadischen Staatsangehörigen Truppen an den Red River zu schicken und dadurch die Macht in die Hand zu bekommen, noch ehe der Ankauf des Ruperts-Landes rechtskräftig geworden war.

Doch das Wunder geschah: Die Metis hörten auf Riel und verzichteten auf Waffengewalt. Aber berittene und bewaffnete Metis-Kommandos hängten sich an die Vermessungstrupps, die von Osten her ins Land kamen, und folgten ihnen auf Schritt und Tritt in drohendem Schweigen. Zunächst setzten die Vermessungstrupps ihre Arbeit unbeirrt fort, wenn sie sich auch vorsichtig auf Gelände beschränkten, das landwirtschaftlich noch nicht genutzt wurde. Sie verließen sich darauf, daß Dr. John Schultz ihnen versichert hatte, bei der geringfügigsten Gewalttätigkeit der Metis würden die Anhänger der Ontario-Partei »die Waffen sprechen lassen und Ordnung stiften, da die HBC offensichtlich weder willens noch in der Lage sei, die weiße Bevölkerung am Red River gegen die Übergriffe der Wilden zu schützen«.

Wie diese Ordnung aussehen sollte, verriet eine böse Bemerkung, die Dr. Schultz zwar nicht für die Öffentlichkeit bestimmt hatte, die dann aber doch bekannt wurde und sich mit Windeseile über die Prärie verbreitete. »Wenn wir hier erst einmal das Heft in der Hand haben, wird man einen Metis, der mit seinem Hund eine Schänke betritt, sofort hinauswerfen, seinen Hund aber bedienen.«

Diese und ähnliche Torheiten trugen dazu bei, die düstere Spannung zu mehren, die über dem Land lag. Aber nicht die Metis, wie Dr. Schultz hoffte, sondern die Vermessungsleute verloren schließlich die Nerven. Am 11. Oktober 1869 — jenem Tag, an dem der designierte kanadische Gouverneur für die Nordwestterritorien, William McDougall, an der Grenze anlangte — erfolgte die Explosion, mit der der Aufstand begann, der als »Riel-Rebellion« in die Geschichte Kanadas einging.

Einem von Colonel Dennis geführten Vermessungstrupp unterlief an diesem Tag der Fehler, daß er mit seinen Meßlatten und -ketten auf einem Streifen Weideland nahe St. Boniface herumzuwirtschaften begann, das einem Metis-Farmer gehörte. Zugegeben, das Landstück wurde seit Jahren nicht mehr genutzt und unterschied sich deshalb durch nichts von der angrenzenden Prärie. Aber der Farmer betrachtete es mit dem Recht der Gewohnheit als sein Eigentum. Er protestierte heftig dagegen, daß man ohne seine Erlaubnis dort mit der Vermessungsarbeit begann. Es kam zu einem Wortwechsel, der in gegenseitige Beleidigungen und schließlich in eine Prügelei ausartete, bei der der Farmer den kürzeren zog. Als er endlich mit zerschlagenem Gesicht und aus Mund und Nase blutend in sein Haus flüchten konnte, war schon eines seiner Kinder nach St. Boniface unterwegs, um Hilfe zu holen.

Eine halbe Stunde später erschien ein Kommando bewaffneter Metis-Reiter an Ort und Stelle, geführt von Louis Riel. Er, der als einziger unbewaffnet war, ritt auf das Weideland, stieg ab, riß die nächste Meßlatte aus dem Boden und setzte seinen in Mokassins steckenden Fuß auf die Latte und die Meßkette. Sein Gesicht war leichenblaß, und sein Mund verzerrte sich vor Erregung, als er dem Colonel Dennis zurief: »Bis hierher und nicht weiter! Jede Vermessungsarbeit ist sofort einzustellen. Wer gegen diesen Befehl verstößt, hat die Folgen zu tragen.«

Dennis wollte widersprechen. Doch als er die entschlossenen Mienen und die offensichtlich schußbereiten Gewehre der Reiter sah, die zu ihrem Anführer aufgeschlossen hatten, verzichtete er wohlweislich auf jedes Wort. Mit einer stummen Geste wies er seine Leute an, die Geräte zusammenzupacken. Von den Reitern schweigend eskortiert, rückte der Vermessungstrupp nach Winnipeg ab und suchte Zuflucht im Haus des Dr. John Schultz. Daß Colonel Dennis an diesem Tag seinen zweiten schwerwiegenden Fehler beging, sollte ihm erst später klarwerden.

Jeder andere Zufluchtsort wäre eine bessere Wahl gewesen. Am klügsten hätte Dennis gehandelt, wenn er sofort den Residenten der HBC MacTavish aufgesucht und diesen um vermittelndes Eingreifen gebeten hätte. Der Resident stellte trotz seiner Machtlosigkeit immerhin noch die einzig gültige Autorität im Ruperts-Land dar. MacTavish versuchte denn auch, als er von dem Zwischenfall erfuhr, sofort das Ärgste zu verhindern. Er forderte Colonel Dennis auf, unverzüglich dem zukünftigen Gouverneur MacDougall entgegenzureisen und ihn zu veranlassen, das Land erst nach dem 1. Dezember zu betreten. Für diesen Tag war die formelle Übereignung des Ruperts-Landes an das Dominion Kanada vorgesehen.

Das war ein vernünftiger Rat. Hätte Dennis ihn befolgt, so wäre der »Rebellion am Red River« vermutlich viel von ihrer Schärfe genommen worden. Aber Dennis folgte statt dessen den Einflüsterungen des Dr. John Schultz. Sie liefen darauf hinaus: »Wenn der Gouverneur erst im Land ist, haben wir im Handumdrehen die Macht. Dann ist nicht nur eine starke Autorität da, die sich nicht wie der Trottel MacTavish aufs Lavieren verlegen muß, sondern wir sind auch genügend bewaffnet. McDougall hat ja versprochen, dreihundert Gewehre und genug Munition mitzubringen. Damit halten wir Weißen die verdammten Bastarde leicht in Schach. Die kuschen sofort, wenn man ihnen die bewaffnete Faust unter die Nase hält.«

Dies leuchtete Colonel Dennis ein. Er ließ zwar die anstößigen Vermessungsarbeiten einstellen. Doch er blieb am Red River und entschloß sich nur, McDougall einen zur Vorsicht mahnenden Brief entgegenzusenden. Im übrigen, so versicherte er ihm, verlaufe am Red River alles nach Wunsch. Er sei im Begriff, eine Miliztruppe aus den im Land ansässigen Kanadiern zu bilden. Diese werde dem Gouverneur den Weg nach Fort Garry notfalls mit Waffengewalt offenhalten. »Und wenn Sie dann mit Ihren Gewehren erst einmal hier sind, werden wir diesen obstinaten Halbindianern eine Lektion erteilen, die sie nie wieder vergessen sollen«, hieß es in dem Brief zuversichtlich.

Aber schon die nächsten Tage belehrten ihn und Dr. Schultz darüber, daß sie die Metis und vor allem den Einfluß unterschätzten, den Louis Riel sich bei seinen Landsleuten nunmehr gesichert hatte. Der blutige Zwischenfall von St. Boniface und Riels leidenschaftlicher Protest »bis hierher und nicht weiter« waren das Signal, das die Metis endlich zu Einigkeit und kaltblütigem Widerstand aufrüttelte. Ungerufen strömten in den folgenden Tagen aus allen Wohnstätten und Kirchspielen am Red River und Assiniboine die waffenfähigen Männer in St. Boniface zusammen. Unter ihnen befanden sich die besten Schützen und Reiter, die es damals auf den Prärien und in den Wäldern zwischen dem Oberen See und den Felsenbergen gab. Nach einer Woche hatte Riel aus ihnen eine sechshundert Mann starke Freiwilligentruppe zusammengestellt und erlebte überrascht und verwirrt,

aber auch geschmeichelt, daß diese Männer ihm — dem
schmächtigen, an keiner Waffe geübten jungen Mann,
den jeder von ihnen mit einer Hand leicht hätte vom
Pferd reißen können — aus freiem Entschluß die Kom-
mandogewalt antrugen.

Von diesem zwar im stillen erhofften, aber keineswegs
erwarteten einhelligen Zuspruch seiner Landsleute getragen, hielt sich Louis Riel für berechtigt und verpflichtet,
nun auch seinen kühnsten Traum zu verwirklichen: Am
20. Oktober schlug er den in St. Boniface zusammenge-
kommenen Metis, die er wohl als eine Volksversammlung ansprechen durfte, in einer leidenschaftlich beschwö-
renden Ansprache vor, am Red River eine Republik
auszurufen und als deren ersten Präsidenten John Bruce
zu wählen, »einen erfahrenen, vernünftigen und gemä-
ßigten Mann, dessen Ansehen unter uns feststeht und
allen Bürgern dieser Republik — ich sage: allen, nicht nur
uns Metis — Gewähr dafür bietet, daß Gerechtigkeit und
Freiheit unser Gemeinwesen regieren sollen«.

Die Versammlung nahm den Vorschlag einstimmig an
und beschloß ebenso einmütig, dem Präsidenten John
Bruce als Staatssekretär Louis Riel an die Seite zu stellen.
Dabei war allen klar, daß es Riel sein würde und sein
mußte, der die Regierungsgeschäfte ihrer Republik führte.

Ein großer Herr kommt nach Pembina

Der amerikanische Journalist James Hargrave hatte
eigentlich nicht beabsichtigt, seinen Ritt von Winnipeg
nach St. Paul zu unterbrechen. Es gab in dieser schäbigen

kleinen Grenzstadt, die aus der Zollstation, ein paar dürftigen Hütten und einem mehr als fragwürdigen Hotel bestand, nichts, was selbst einen wenig anspruchsvollen Reisenden zu einem längeren Aufenthalt hätte verlocken können. Aber Hargraves Pferd begann leicht zu lahmen, als er sich der Grenze der Vereinigten Staaten näherte. Sollte es seinen Reiter noch bis St. Paul tragen, dann brauchte es ein paar Tage Rast im Stall von Warrens Hotel.

So kam es, daß Hargrave ungewollt als Augenzeuge beobachten konnte, wie sich die erste Haupt- und Staatsaktion des frischgebackenen, gerade eben zwei Jahre alten Dominions Kanada abspielte. Denn einen Tag, nachdem er in Pembina vom Pferd gestiegen war, hielt dort der Mann seinen Einzug, den die Regierung in Ottawa zum ersten Generalgouverneur der Nordwestgebiete bestellt hatte: Mr. William McDougall — Seine Exzellenz, wie er sich von seinem Gefolge nur zu gern anreden ließ.

Eine wahre Karawane, bestehend aus mindestens sechzig Personen, sechzehn Kutschen und dreißig Planwagen voll Gepäck und Frachtgut, gab ihm das Geleit und verkündete allein schon durch die gewaltige Staubwolke, die sie über das herbstdürre Land ziehen ließ, daß hier ein großer Herr, einer der Auserwählten und Mächtigen dieser Erde, herannahte. Freilich, ihren vollen Glanz durfte die Kavalkade hier, auf dem Boden der Vereinigten Staaten, noch nicht entfalten. Doch sobald sie die nahe Grenze nach Norden überschritten hatte und der Herr Generalgouverneur den Boden seines Reiches betrat, sollte das anders werden. Dann würde der ganze Stab die Uniformen anlegen, die jetzt noch in den Koffern auf den großen Tag warteten — Uniformen, prunkend in Scharlachrot und Gold, um die Wilden und Halbwilden am Red River nach guter, alter britischer Tradition von vornherein gehörig zu beeindrucken und ihnen gleich den richtigen Begriff von der Macht des Dominions Kanada und der Herrlichkeit Ihrer Majestät der Königin, der künftigen Mutter des Landes, zu geben.

»Es war ganz offensichtlich« — schreibt Hargrave in seinem Bericht an die Redaktion der New Yorker Zeitung, in deren Auftrag er das Land am Red River bereist hatte — »daß Mr. McDougall sich als ein neuer Cäsar fühlte, der als Triumphator Einzug am Red River halten und binnen kurzem stolz nach Ottawa melden würde: Ich kam, ich sah, ich siegte . . . Daß ihm jemand in die Suppe spucken würde, daran dachte er keinen Augenblick und noch weniger daran, daß jemand ein Recht haben könnte, sich ernstlich und mit aller Kraft gegen den Anspruch aufzulehnen, mit dem er und das Dominion Kanada an den Red River kamen.«

Diese anmaßende Selbstsicherheit bekam Hargrave schon in dem ersten Gespräch zu spüren, in das er einen der Herren aus McDougalls Stab zu verstricken verstand: Hauptmann Cameron, der dem Journalisten bereits nach wenigen, einleitenden Sätzen zu verstehen gab, er sei als Wehrminister für die neue Provinz ausersehen.

»Reichlich viel Aufwand für einen Informationsbesuch, scheint mir«, sagte Hargrave. »Denn um mehr als einen kurzen Informationsbesuch kann es sich doch wohl nicht handeln. Oder irre ich mich?«

Hauptmann Cameron klemmte sein Monockel ins rechte Auge und musterte den Amerikaner amüsiert: »Da irren Sie freilich gewaltig«, erwiderte er. »Seine Exzellenz reist zur Amtsübernahme nach Winnipeg.«

»Wie, jetzt schon? Noch ehe der Vertrag über den Verkauf des Ruperts-Landes an das Dominion Kanada von der Krone bestätigt ist? Ehe die Königin das neuerworbene Gebiet durch die unerläßliche Deklaration in aller Form in ihre Obhut genommen und damit die Vereinigung des Ruperts-Landes mit dem Dominion völkerrechtlich bindend vollzogen hat? Ist das nicht, gelinde gesagt, ein wenig voreilig — um nicht zu sagen höchst unvorsichtig und gefährlich?«

»Gefährlich, wieso?« fragte Cameron verblüfft.

»Ja, weiß denn Seine Exzellenz nicht, wie aufgebracht die Mehrheit der Bevölkerung am Red River darüber ist, daß man sie über den Verkauf des Ruperts-Landes nicht einmal unterrichtet hat? Weiß er nicht, daß es im Laufe des Sommers zu Reibereien zwischen Einheimischen und Landfremden gekommen ist? Weiß er nicht, daß eine hetzerisch übertriebene Agitation eingewanderter Kanadier zugunsten eines Anschlusses der Red-River-Kolonie an die Provinz Ontario vor allem bei dem französischsprechenden Bevölkerungsteil Furcht und Erbitterung hervorgerufen hat? Weiß er nicht, daß diese sogenannte Ontario-Partei laut und offen willkürliche Landvermessungen zum Nachteil der einheimischen Bevölkerung propagiert und damit die Unruhe noch mehr geschürt hat?«

Hauptmann Cameron lächelte noch immer überlegen. »Sie übertreiben, wie bei Zeitungsleuten üblich«, sagte er herablassend. »Unsere Gewährsleute haben uns erst kürzlich noch versichert, die gesamte Bevölkerung am Red River werde Seine Exzellenz herzlich aufnehmen, weil sie den Anschluß der Kolonie an das Dominion mit großer Befriedigung begrüßt.«

»Ihre Gewährsleute? Ich vermute wohl richtig, daß es

sich dabei um Dr. John Schultz und seine Ontario-Partei handelt. Und deren Auskünfte nehmen Sie unbesehen für bare Münze? Diese Leute rechnen doch damit, sich nach vollzogenem Anschluß ungestraft am Landbesitz anderer bereichern zu können, weil sie den neuen Gouverneur frühzeitig für sich eingenommen haben. Sie stellen zwar nur eine Minderheit dar, treten aber lautstark und dreist auf, um die anderen Gruppen einzuschüchtern. Gerade infolge ihres Verhaltens blickt die Mehrheit der Bevölkerung schon jetzt mit Furcht und Mißtrauen der nächsten Zukunft entgegen. Seine Exzellenz möge deshalb nur nicht in den Fehler verfallen, mit einem freundlichen Empfang zu rechnen! Glauben Sie mir, ich weiß, wovon ich rede. Ich bin nicht umsonst den ganzen Sommer lang zwischen dem Wälder-See und dem Saskatchewan herumgereist.«

Der Hauptmann war bei dieser Eröffnung stutzig geworden. Er nahm das Monokel aus dem Auge und putzte es mit einem Seidentuch — wohl, um seine Betroffenheit zu bemänteln. Schließlich fragte er Hargrave, ob dieser bereit sei, dem Herrn Generalgouverneur seine Eindrücke vorzutragen.

Hargrave stimmte sofort zu. Erst eine Weile danach fragte er sich, ob er diesen übermäßig ehrgeizigen und betriebsamen Mr. William McDougall nicht lieber ungewarnt weiterziehen lassen sollte. Er gehörte einer politischen Gruppe an, die der Meinung war, es sei das einzig Zweckmäßige und Logische, das ehemalige Ruperts-Land der HBC zwischen Hudsonbai und Rocky Mountains als Brücke nach Norden und Nordwesten bis Alaska den Vereinigten Staaten einzuverleiben. Förderte es solche Absichten nicht, wenn McDougall durch Anmaßung, Torheiten und Mißgriffe möglichst viel Mißstimmung am Red River provozierte? Dies konnte am Ende eine Mehrheit der Bevölkerung für einen Anschluß an die Vereinigten Staaten erwärmen. Nur eine wahrhaft überlegene, unparteiische und wohlwollende politische Persönlichkeit hätte diese von Furcht und Mißtrauen beunruhigten Menschen am Red River für die Absichten des Dominions Kanada gewinnen können.

Hargrave erkannte schon jetzt, daß McDougall eine solche Persönlichkeit nicht war, seine Wahl zum Generalgouverneur des Nordwestens also ein Fehler. Aber ihn, den Journalisten, reizte es trotzdem, diesen Mann in einem Gespräch aus nächster Nähe kennenzulernen. Außerdem gehörte seine Sympathie den Menschen am Red River. Selbst wenn der Versuch, aufklärend und mäßigend auf deren künftiges Oberhaupt einzuwirken, wenig Aussicht auf Erfolg versprach, um jener Menschen willen mußte er unternommen werden.

Das Gespräch verlief freilich so, wie Hargrave es von vornherein befürchtete. McDougall tat seine Warnungen lässig ab. »Lassen Sie das meine Sorge sein«, sagte er hochmütig. »Die Übernahme des Ruperts-Landes in die Oberhoheit Kanadas wird sich so glatt abwickeln wie ein Hochzeitsessen. Diese Halbwilden dort — Mischlinge, Franzmänner, Katholiken und ähnliches Zigeunervolk — werden kuschen, wie es sich für sie gehört. Die wissen ja überhaupt nicht, was das heißt, auf zivilisierte Weise regiert und verwaltet zu werden. Aber wir werden es ihnen schon beibringen.«

Mit der Schilderung seiner Eindrücke von Land und Leuten am Red River erreichte Hargrave immerhin so viel, daß Seine Exzellenz ein wenig nachdenklich wurde. Seine

Überzeugung, er werde sich nach seinem Einzug in Winnipeg wie Cäsar rühmen können — Ich kam, ich sah, ich siegte —, geriet ins Wanken. Sichtlich widerstrebend gab er zu: »Es mag sein, daß wir zu wenig Kontakt zum katholischen Bevölkerungsteil der Red-River-Kolonie gepflegt haben. Wir haben uns bisher allein an die Vertreter der Kirche gehalten. Vielleicht genügt das nicht ganz. Wer ist nach Ihrer Meinung der Wortführer dieser Leute?«

»Riel, Exzellenz, Louis Riel!«

»Nie gehört«, erwiderte Mr. McDougall erstaunt und mißtrauisch. »Keiner meiner Gewährsleute hat diesen Namen bisher erwähnt. Wer ist dieser Riel? Hat er wirklich irgendwelchen Einfluß?«

Ein Versuch, ihm ausführlich Persönlichkeit und Herkunft Riels zu schildern, hätte vermutlich nicht nur die Geduld, sondern auch die Vorstellungsgabe seiner Exzellenz weit überfordert. Hargrave beschränkte sich deshalb darauf, kurz anzudeuten, daß Louis Riel trotz seiner Jugend wegen des Ansehens, das seine Familie genoß, wegen seiner Bildung und seiner Beredsamkeit von den Leuten am Red River als Wortführer akzeptiert wurde.

»Wie alt ist er«, fragte Mr. McDougall.

»Sechsundzwanzig!«

Seine Exzellenz schnaubten verächtlich durch die Nase und antworteten: »Und solch einen Grünling halten Sie für einen ernstzunehmenden Gegner?«

»Von Gegnerschaft ist nicht die Rede — noch nicht«, erwiderte Hargrave. »Aber als Verhandlungspartner sollten Sie Riel sehr ernst nehmen, weil er die Mehrheit der Bevölkerung am Red River hinter sich hat.«

Und nun sagte der zukünftige Herr Generalgouverneur

William McDougall etwas, das Hargrave als Politiker er-
freute, als mitfühlenden Menschen aber erschrecken mußte, da er sofort an die Nöte, Verwirrungen und Ängste
dachte, die dieser hochfahrende Mensch am Red River
heraufbeschwören würde. McDougall erklärte: »Von Verhandeln wird keine Rede sein. Ich werde in einem Aufruf
an die Bevölkerung alles Nötige kundtun. Wer sich dagegen auflehnt, wird als Rebell, als Hochverräter gegen die
Krone, zur Rechenschaft gezogen werden.«

Gegen eine solche Gesinnung noch weiter mit Worten an-
zugehen, wäre sinnlos gewesen. Hargrave schwieg also,
erbat sich aber von Seiner Exzellenz die Erlaubnis, an
dessen Einzug in die Red-River-Kolonie als Beobachter
teilnehmen zu dürfen.

So konnte er Zeuge sein, wie Mr. McDougall die Augen
dafür geöffnet wurden, wer dieser Riel war. Es begann
damit, daß am 30. Oktober morgens ein Mann in abge-
schabter Wildlederkleidung und Fuchspelzmütze an den
Frühstückstisch Seiner Exzellenz trat und ihm einen Brief
überreichte.

Der Text des kurzen Briefes, der in französischer Sprache
abgefaßt war, lautete, wie Hauptmann Cameron Hargrave vertraulich eröffnete:

St. Norbert, Red River, am 21. Oktober 1869:

Sir,

das National-Komitee der Metis am Red River weist Mr.
McDougall hiermit an, das Nordwestterritorium nicht
ohne ausdrückliche Erlaubnis besagten Komitees zu betreten.

Im Auftrag des Präsidenten John Bruce:

Louis Riel, Sekretär

65

Dieser Brief konnte als ein Musterstück diplomatischer Schläue gelten. Er verbot McDougall nämlich nicht, das Land zu betreten; er unterrichtete ihn lediglich davon, daß er diesen Schritt nicht ohne Zustimmung der Bewohner tun dürfe. Dadurch eröffnete sich McDougall die Möglichkeit zu Verhandlungen, die Ottawa schon längst hätte aufnehmen sollen. Doch der hohe Herr dachte nicht daran, diese höflich ausgestreckte Hand zu ergreifen. Er sprach jetzt erst recht sehr aufgebracht von einer »Rebellion einer Handvoll unzivilisierter, widerborstiger und kriegslüsterner Eingeborener«. Daß er dieses Häufchen Rebellen mit einer lässigen Handbewegung beiseite fegen würde, wenn es nicht kuschte, stand für das Selbstbewußtsein McDougalls offensichtlich außer Frage.

McDougalls ließ sich auch nicht durch einen Brief des letzten Residenten der HBC, McTavish, beirren, der ihn dringend bat: »Verschieben Sie Ihre Reise nach Winnipeg, bis alle Formalitäten der Übergabe des Ruperts-Landes an das Dominion geklärt sind. Verfrühtes Erscheinen oder gar eine demonstrative Machtentfaltung am Red River würde mit Sicherheit bewaffneten Widerstand begegnen.«

Trotzdem rückte der »neue Cäsar des Nordens« weiter vor. Am 2. November überschritt er die Grenze. Gleich dahinter fand er die Landstraße, die sich dort zwischen Stromufer und bewaldeten Anhöhen dicht am Red River entlangwand, durch eine Barrikade aus Baumstämmen versperrt. Hinter der Sperre hielt ein Reitertrupp, die Gewehre schußbereit über dem Sattelknopf.

Hauptmann Cameron, der neben der Kutsche des Generalgouverneurs ritt, sprengte auf einen Wink des hohen Herrn nach vorn, klemmte sein Monokel ins Auge und

schrie die wartenden Reiter an: »Räumt sofort diese ver-
dammte Sperre beiseite!«

Die Reiter grinsten. Ihr Anführer gab ihnen mit der
Hand ein Zeichen. Daraufhin ritten sie rechts und links
um die Barrikade herum, packten die Pferde der vorder-
sten beiden Kutschen am Kopfriemen und ließen die Ge-
spanne und Wagen sanft wenden, bis sie in Richtung
Pembina blickten. Dann gaben sie den Gäulen einen
Klaps und lüfteten ihre Pelzkappen grüßend, während
sich der Wagenzug zur Grenze zurück in Bewegung
setzte.

Das alles vollzog sich wortlos. Erst als die ganze Kolonne
wieder nach Süden rollte, ritt Ambroise Lepine, der Kommandant der Metis-Landwehr, an die Kutsche Seiner Exzellenz heran, lüftete abermals höflich seine Kappe und
sagte durch das offene Fenster ruhig, aber bestimmt: »Im
Auftrag des Metis-Komitees gebe ich Ihnen bis Sonnenuntergang Zeit, unser Land wieder zu verlassen. Gehorchen Sie nicht, dann haben Sie die Folgen zu tragen.«

Der Herr Generalgouverneur wurde aschfahl im Gesicht
— ob vor Furcht oder vor Zorn, wußte nur er allein. Doch
er gehorchte wort- und widerstandslos.

„Wenn nötig, kämpfen . . .“

Riels Brief an McDougall war nur als Warnung, nicht
als endgültige Absage an Kanada gemeint gewesen. Aber
als am Red River sein Inhalt bekannt wurde und die Ab-
fuhr, die McDougall an der Grenze hatte hinnehmen
müssen, deuteten Dr. Schultz und seine Anhänger dies

als »unverschämten Affront gegen Obrigkeit und gute Sitte«. Flüsterpropaganda suchte den englischen Siedlern außerdem einzureden, Riel wolle den Red River an die USA verkaufen; ja, er habe dies bereits heimlich getan, und einem solchen Verrat müsse man mit Waffengewalt entgegentreten.

Der Ruf zu den Waffen fand freilich nur bei den rabiatesten Anhängern der Kanada-Partei Gehör. Bei den übrigen Siedlern verpuffte er wirkungslos, weil Colonel Dennis in seinem törichten Eifer, sich als »Miteroberer des Nordwestens« einen Namen zu machen, eine Indianertruppe anzuwerben begann. Indianer, das war jedem Weißen im Land bewußt, stellten auch als Bundesgenossen eine Gefahr dar, die man selbst in äußerster Not besser nicht heraufbeschwor. In vielen Heimstätten, vor allem am Assiniboine-Fluß, waren die Plünderungen und Mordbrennereien noch in schrecklicher Erinnerung, zu denen es 1857 während des Grenzkrieges mit den Sioux gekommen war — und zwar nicht nur durch die Angreifer, sondern mehr noch durch die mit den Metis und den Weißen verbündeten Schwarzfußindianer.

Trotz dieser Wühlereien seiner Gegner gelang es Louis Riel, seine Metis-Landwehr Gewehr bei Fuß zu halten. Das wurde ihm nicht leichtgemacht, denn unbesonnenes Dreinschlagen lag dem Temperament seiner Metis mehr als vorsichtiges Taktieren. Riel mußte ständig fürchten, bei seinen Anhängern als übervorsichtig, ja als feige in Verruf zu kommen. Zudem gehörte er zu den Menschen mit schwankendem Selbstbewußtsein, die dazu neigen, sich durch einen schnellen Sieg zu bestätigen, ohne die Folgen zu bedenken.

Von Zweifeln geplagt, ob er trotz seiner Jugend ein Recht

dazu habe, sich an die Spitze seines Volkes zu stellen, litt er schwer unter der Verantwortung, die diese Rolle ihm auferlegte. Das beängstigende Gefühl, er selbst wie auch sein Volk würden sich über kurz oder lang im Mahlgang der Politik zerreiben, machte ihn oft ganz mutlos.

In solchen Stunden kam er sich sehr allein und verlassen vor — von Menschen und Gott verlassen. Dann bereute er bitterlich, daß er aus der geordneten, geraden Bahn zur Geborgenheit des Priestertums ausgebrochen war. Schmerzhaft kam ihm immer wieder zu Bewußtsein, wie sehr er sich von seinen Metis-Landsleuten unterschied. Er hatte nie wie sie am eigenen Leib Härten und Freuden des Jägerlebens gespürt, die nach ihrer Anschauung den Jungen erst zum Mann reifen ließen. Er verstand nicht, mit Waffen umzugehen und mit Kanupaddeln; er war ein schlechter Reiter und hatte ungeschickte Hände. Nie würde er wie seine Metis-Freunde imstande sein, nur mit einem Messer ausgerüstet einen Schneesturm auf der Prärie oder einen Kanu-Unfall inmitten der Wälder lebend zu überstehen. Ihm würde in einer solchen Notlage nichts besseres einfallen und nichts anderes übrigbleiben, als seine Seele Gott zu befehlen und zu sterben. Und schießen konnte er noch schlechter als reiten. Er fürchtete Feuerwaffen geradezu und verabscheute ihren Gebrauch ebenso wie die Anwendung roher Gewalt. Der bloße Anblick einer drohend erhobenen Faust ließ ihn erzittern, selbst wenn die Drohung gar nicht ihm selbst galt.

Und ein solcher Mann, dem noch dazu seiner Jugend wegen nach herkömmlicher Metis-Anschauung im Kreis der Männer die Rolle des schweigenden Zuhörers zukam — ein solcher Weichling wollte sich allen Ernstes anmaßen, ein so ungebärdiges Volk wie das der Metis zusammenzuhalten und einer Zukunft entgegenzuführen, in der es über sein Schicksal endlich selbst bestimmen konnte?

Fürs erste trug ihn noch die mächtig hochschäumende Kampfstimmung, die von den Zwischenfällen mit den kanadischen Landmessern ausgelöst war. Und weil er ihnen das Gefühl gegeben hatte, einem Feind bei der ersten Kraftprobe gewachsen gewesen zu sein, war sein Ansehen bei ihnen noch gewachsen. Doch würde ihre Eintracht, ihr Selbstbewußtsein härteren Prüfungen standhalten?

Riel war sich klar, daß er kampfbereitere Bundesgenossen brauchte als den gutmütigen, zurückhaltenden John Bruce. Dieser mochte als Schildhalter und Galionsfigur der Metis-Sache gute Dienste leisten. Wendigkeit, Kampfgeist und Entschlußfreudigkeit ließen sich von ihm nicht erwarten.

Um seine Landsleute durch Mitverantwortung und Mitbestimmung noch enger an die Republik zu binden, forderte er alle Kirchspiele am Red River, Assiniboine und Saskatchewan auf, in offenen Versammlungen Abgeordnete zu wählen und diese nach St. Boniface zu schicken. Auf diese Weise hoffte er ein Parlament zu bilden, das dem Regierungs-Komitee Weisungen und echte Vollmachten erteilen konnte — ein Parlament, das nicht nur die Metis, sondern alle Bevölkerungsgruppen, auch die Indianer, repräsentierte.

Zu Riels Überraschung erzielte dieser Aufruf einen durchschlagenden Erfolg. Bereits am 16. November hatten sich die Abgeordneten sämtlicher 24 Kirchspiele in St. Boniface zusammengefunden. Erster und einziger Punkt auf der Tagesordnung war die Beratung und Verabschiedung einer »Bill of Rights« für das Ruperts-Land — also eines

Grundgesetzes, durch das, wie Riel in seiner Eröffnungs-
rede erklärte, »ein freies Volk kundtut, daß es aus eigenem freien Entschluß willens ist, sich eine staatliche Ordnung zu geben und mit allen seinen Nachbarn in Freund-
schaft zu leben, sofern diese ihm die Hand reichen und
nicht etwa Unterwerfung von ihm fordern«.
Der Verfassungsentwurf war so abgefaßt, daß er auch als
Grundlage für spätere Verhandlungen mit dem Dominion Kanada über eine Eingliederung des Nordwestens in
das Dominion dienen konnte. Er setzte folgende Forderungen als unabdingbar fest:
1. Im Nordwest-Territorium gehen Volksvertretung, Geschworene, Hilfsrichter und Gemeinderäte aus allgemeinen und freien Wahlen hervor.
2. Das Parlament des Nordwest-Territoriums allein hat
das Recht, ein Siedlungs- und Bodennutzungsgesetz zu
erlassen; es darf für Schulen, Straßen und öffentliche Gebäude Land aus dem Besitz des Territoriums zur Verfügung stellen.
3. Nur dieses Parlament allein hat das Recht, über den
Bau einer Eisenbahnverbindung zum nächsten vorhande-
nen Bahnnetz zu entscheiden.
4. Auf dem Boden des Nordwest-Territoriums darf als
bewaffnete Streitmacht nur eine Landwehr aufgestellt
werden, die aus Bürgern des Territoriums besteht.
5. Im Parlament, vor allen Gerichten und Ämtern, in
sämtlichen Urkunden sind die englische und die französische Sprache gleichberechtigt; das Schulsystem ist zwei-
sprachig.
6. Das Parlament des Nordwest-Territoriums behält sich
das Recht vor, mit den Indianern des Territoriums Über-
einkünfte zu treffen, die den Frieden im Land und die

Wohlfahrt der Indianerstämme sichern und den Stämmen garantieren, daß sie ihre Bräuche und Traditionen, eigene Stammesgerichtsbarkeit und Sprache erhalten können.

Die Diskussion über dieses Grundgesetz verriet Louis Riel aufs neue deutlich, wie dünn und schwankend der Boden war, auf dem er seine Red-River-Republik errichtet hatte. Nicht einmal die Metis waren sich einig. Eine Gruppe, als deren Sprecher Riels Vetter Charles Nolin auftrat, weigerte sich, dem Grundgesetz zuzustimmen, wenn darin nicht auch die Möglichkeit festgehalten werde, das Nordwest-Territorium an die USA anzuschließen, falls Kanada die geforderten Freiheiten nicht zugestehen wolle. Eine andere Gruppe forderte, das Nordwest-Territorium solle sich sofort zum Freistaat erklären und jede Vereinigung mit Nachbarn ablehnen. Die englischsprechenden Siedler traten zwar auch für die Selbstbestimmung des Territoriums ein, beklagten aber, daß der vorgelegte Entwurf des Grundgesetzes kein Wort der Loyalität gegenüber der Krone enthalte. Die Vertreter der Kanada-Partei wiederum bestritten diesem provisorischen Parlament ebenso wie der Red-River-Republik durchweg die Existenzberechtigung. Über das Schicksal des Ruperts-Landes habe allein der zu befinden, der es der HBC abgekauft habe — das Dominion Kanada.

Die Gegensätze prallten so heftig aufeinander und wurden so hartnäckig verfochten, daß tagelang zu befürchten war, es würde Riel nicht gelingen, seine Regierung durch dieses erste Parlament der Red-River-Republik zu legitimieren. Riel hätte dazu eine Zweidrittelmehrheit gebraucht, und diese konnte er nur gewinnen, wenn er alle Metis-Vertreter auf seiner Seite hatte. Durch einen taktischen Kniff wäre dies leicht zu erreichen gewesen. Riel hätte Nolin nur ein wenig entgegenzukommen brauchen und dem Entwurf einen Satz einfügen müssen, der einen Anschluß der Republik an die USA nicht ausschloß.

»In diesen Tagen« — so stellte James Hargrave fest — »hing das Schicksal Britisch-Nordamerikas allein an der Entscheidung Louis Riels. Daß er es standhaft ablehnte, seine Loyalität gegen die britische Krone auch nur in Frage zu stellen, rettete dem Dominion Kanada seinen Bestand von Meer zu Meer. Doch selbst dies hat ihn nicht vor der Anklage des Hochverrats bewahren können.«

Die Eintracht der Metis und damit die Existenz der Red-River-Republik wurde dadurch gewahrt, daß dem von allen Seiten bedrängten Riel unversehens ein starker Bundesgenosse zu Hilfe kam. An dem Tag, an dem sich abzeichnete, daß Riels Grundgesetz scheitern mußte, wenn sich die Metis-Fraktion nicht einigte, erhob sich in der Fraktionssitzung plötzlich ein alter Mann, der sich bei den Beratungen bisher schweigend im Hintergrund gehalten hatte, schob sich durch die erregt diskutierenden Gruppen und trat zu Louis Riel, der blaß und ratlos allein am Rednertischchen saß.

»Ich bin Gabriel Dumont«, sagte der weißhaarige Hüne und zerquetschte dem Jüngeren bei der Begrüßung mit seiner Pranke fast die Finger. »Habe deinen Vater noch gut gekannt, Louis. War eigentlich niemals einer Meinung mit ihm — damals, als wir beide dem Assiniboine-Rat angehörten. Wußte deshalb nicht so recht, was von dir, seinem Sohn, zu halten sein möchte, als von dir letzthin soviel die Rede war — sogar drüben am Saskatchewan-Fluß, wo ich zu Hause bin. Dann haben mich meine Kirchspielnachbarn zu ihrem Vertreter gewählt, und ich bin hergeritten. Ist ein langer Weg, und deshalb bin ich erst gestern abend angekommen. Bin auch nur hergeritten, weil ich mir über dich ein Urteil bilden wollte — nicht, weil ich dachte, hier könnte irgend etwas Brauchbares für uns Metis herausspringen. Habe gestern abend deinen Grundgesetzentwurf noch gelesen und in der Nacht darüber nachgedacht. Ein alter Mann wie ich kommt mit wenig Schlaf aus. Hatte also genug Zeit zum Überlegen. Heute morgen ist hier viel geredet worden — zu viele Worte, wie ich meine, die zu viele Nebengedanken verbergen, und zu viele Sätze voll von Winkelzügen und Vorbehalten. Mir ist der Kopf ganz wirr davon geworden. Bin eben nur ein Metis vom alten Schlag, Waldläufer, Jäger und Fallensteller. Reiten und Schießen geht mir besser von der Hand als Lesen oder gar Schreiben. Ganz eingeleuchtet hat mir eigentlich nur, was du gesagt hast und wie du's gesagt hast. Ich glaube, du hast nicht nur den Mund, sondern auch das Herz auf dem rechten Fleck. Was du in das Grundgesetz unserer Republik geschrieben hast, spricht in klaren Worten aus, was ich bisher immer nur undeutlich geahnt und empfunden, aber nie richtig zu Ende gedacht habe.«

Louis Riel fand nicht gleich eine Antwort, so sehr verschlug es selbst ihm, dem Wortgeübten, die Sprache, daß ausgerechnet dieser weißhaarige Hüne so zu ihm sprach. Wie jeder Metis empfand auch er es unwillkürlich als eine Auszeichnung, von Gabriel Dumont beachtet oder gar gelobt zu werden. Denn dieser Mann genoß schon seit Jahren nicht nur bei den Metis, sondern auch bei den Weißen und den Indianern des Nordwestens fast das Ansehen einer Sagengestalt.

Gabriel hatte sich schon in seinen jungen Jahren als erfolgreichster Büffeljäger einen Namen gemacht. Seit mehr als dreißig Jahren wären am liebsten alle Jungmänner der Metis mit Dumont nach Westen gezogen, wenn die Zeit der Büffeljagd auf den Prärien von Saskatchewan da war.

»König der Prärie« aber nannte man ihn im ganzen Land, seit es ihm 1857 gelungen war, die bis dahin unbesiegten Kriegerscharen der Sioux-Stämme in offener Feldschlacht zu bezwingen und mit diesem mächtigen und anmaßendsten Stammesverband einen Vertrag auszuhandeln, der den seit Jahrzehnten andauernden blutigen Fehden zwischen den Sioux und den Schwarzfuß-Indianern ein für allemal ein Ende setzte.

Riel spürte instinktiv, daß eine wortreiche Entgegnung viel, wenn nicht alles verdorben hätte. Deshalb begnügte er sich mit einem Händedruck. Dieser Handschlag besiegelte einen Bund, der bis zum Lebensende Louis Riels hielt. Man kann nicht behaupten, daß dieses Bündnis den beiden Partnern und der Sache der Metis nur Glück gebracht hätte. Aber in jener Stunde, in der seine Politik auf dem Spiel stand, hätte Riel keinen besseren Bundesgenossen finden können.

Dumont klopfte auf das Rednertischchen und verschaffte sich mit seiner von der Büffeljagd befehlsgewohnten, mächtigen Stimme sofort Gehör.

»Landsleute«, begann er, »ihr wißt alle, wer ich bin und woher ich komme. Wißt auch, daß ich nicht viel mehr als schießen und reiten, jagen und ein Kanu führen gelernt habe. Viel ist das nicht, wenn man bedenkt, was es auf der Welt zu lernen gibt.

Aber eines habe ich dabei über das Handwerk des Jägers hinaus gelernt: zu dienen. Einer Sache und den Menschen dienen, denen man zugehörig ist. Ich habe heute viel von

Rechten und Ansprüchen gehört, die gefordert und gesichert werden müssen. Von einigen habe ich auch vernommen, wir Metis seien bisher nur Knechte der HBC gewesen, aber jetzt berufen, die Herren des Ruperts-Landes zu werden, weil wir die Mehrheit sind. Andere behaupten sogar, weil wir immer Knechte der HBC waren, hätten wir eine Knechtsnatur bekommen. Deshalb werde uns der Anspruch bestritten, selbst zu bestimmen, was uns zukommt und was nicht.

Ich erwidere hierauf: Die solches sagen, irren beide! Wir haben der HBC hundert Jahre lang gedient, ja! Aber nicht als Knechte, sondern weil uns die bisherigen Herren des Ruperts-Landes Raum gaben, unser Leben so zu führen, wie es uns zu Gesicht stand und wie es unseren Fähigkeiten entsprach. Wir Metis sind als Waldläufer, Kanumänner, Fallensteller, Jäger, Wegführer ins Leben getreten. Dieses Reich des Nordwestens, das Reich der Pelze, Paddel und Prärien hat uns geschaffen. Ihm haben wir gedient — nicht als Knechte, nicht aus Zwang und Not, sondern aus freien Stücken, mit dem Herzen bei der Sache.

Wir haben diesem Reich gedient, weil wir das Land und seine Menschen liebten. Haben ihm gedient, weil es uns die Freiheit gab, so zu sein, wie wir nun einmal nach Gottes Willen geschaffen sind. Unser Land ist so groß und weit, daß es diese Freiheit noch immer jedem großmütig zugesteht — vorausgesetzt, daß jeder, der sie ergreift, sich entschließen kann zu der Einsicht, daß eine Freiheit, die das Herz rein und fest macht, verdient, erdient sein will.

Meine Landsleute, die Büffeljagd ist meine beste Schule gewesen. Nichts stärkt das Herz und den Mut eines Mannes so sehr wie diese Jagd in der Weite der Prärie. Aber man unternimmt die Jagd ja nicht nur, um stolz ins Weite zu reiten, und auch nicht, um mit Büchse und Kugel einem mächtigen Geschöpf Gottes zu beweisen, daß der Mensch der Beherrscher der Prärie ist.

Nein, die Jagd meint immer auch das Fleisch, das Menschen zu ihrer Ernährung brauchen. Sie meint die Büffelhaut, mit der Menschen sich bekleiden. Will die Jagd diesem Ziel richtig dienen, dann ist es mit ungebundenem Reiten und Schießen nach Belieben nicht getan. Dann hat sich jeder Jäger dem Gesetz der Jagd zu fügen. Dann darf er nichts tun, was nicht dem Ziel der Jagd dient.

Was aber der Jagd dienlich ist, das bestimmt bei uns Metis seit jeher der Anführer der Jagd, den wir uns vorher aus unserer Mitte wählen. Wir wählen aber nur den, dem wir zutrauen, daß er seine Sache versteht und nichts anordnen oder tun wird, was dem Ziel der Jagd schadet.

Und noch eines war bei den großen gemeinschaftlichen Büffeljagden der Metis wie der Indianer seit jeher unumstößliches Gesetz: Die Beute wird nicht verteilt, ehe man sie hat. Und die Beute gehört allen gemeinsam — allen, sage ich, und das meinen nicht nur die erfolgreichen Schützen, nicht nur die Teilnehmer des Jagdzugs. Das meinen auch ihre Eltern, Frauen, Kinder, Brüder und Schwestern. Das, Landsleute, hat mich die Jagd gelehrt. Das sollte sich eigentlich allen Metis unvergeßlich eingeprägt haben, auch denen, die nie bei einer Büffeljagd mitgeritten sind. Deshalb befremdet es mich, daß hier soviel von Ansprüchen und Forderungen geredet wird. Sie muten mich an, als ob jeder recht behalten will oder als ob er glaubt, er müsse recht viel fordern, damit für ihn und seinen Anhang etwas dabei herausspringt. Es befremdet mich, weil das Wort ›dienen‹ dabei vergessen wurde.

Das Grundgesetz der Red-River-Republik, das hier beschlossen werden soll, gleicht — so jedenfalls sehe ich es als Jäger — dem, was wir Büffeljäger vor der Jagd mit dem Jagdführer als Plan für die Jagd verabredeten. Die Beute — hier also das Ergebnis, das herausspringt, wenn wir dieses Grundgesetz verwirklichen — gehört allen, die in diesem Land leben. Vergessen wir also nicht, daß es keinem von uns zusteht, allein an sein Recht, seinen Anspruch, seinen Vorteil zu denken. Denken wir daran, daß es uns zukommt, mit vorausschauender Umsicht und mit Bedachtheit, die sich auf Erfahrung stützt, dem Ganzen, dem Land und seinen Menschen zu dienen.

Ihr alle kennt mich. Ihr wißt, was von mir zu halten ist. So wißt ihr auch, daß ich kein Freund von Lagerfeuergeschwätz bin. Ihr werdet mir also zutrauen, daß ich mir immer etwas gedacht habe, ehe ich den Mund auftat. Deshalb wißt ihr auch jetzt, daß es nicht ins Blaue hinein geredet, sondern Wort für Wort so gemeint ist, wie es gedacht wurde, wenn ich nun sage: Louis Riel, das Grundgesetz, daß du der ersten allgemeinen Ratsversammlung der Red-River-Republik zum Beschluß vorgelegt hast, dient unserem Land und allen seinen Menschen — gleich, welcher Sprache, welcher Hautfarbe, welchen Glaubens sie sind.

Darum stehe ich hier an deiner Seite. Darum will ich dir helfen bei dem, was du weiterhin planst und tust. Und wenn es einmal nötig sein sollte, weil Unverstand oder Anmaßung uns dazu herausfordern, will ich an deiner Seite kämpfen und auch, wenn es sein soll, in diesem Kampf sterben.«

Diese Ansprache des großen alten Mannes der Metis beendete den Streit. Nicht nur die Metis, auch alle Abgeordneten der englischsprechenden Kirchspiele, von den Vertretern der »Kanada-Partei« abgesehen, stimmten für die Annahme des Grundgesetzes und ermächtigten Riel, Verhandlungen mit der Regierung in Ottawa einzuleiten.

Die Kanonen der HBC

Für Louis Riel war damit, daß Gabriel Dumont ihn als Sprecher und Anführer aller Metis anerkannt hatte, viel gewonnen. Dumont sicherte ihm die treue Anhänglichkeit vor allem der Metis in der Prärie, die mehr noch als die bereits mehr oder weniger verstädterten Metis-Siedler am Red River auf ihrer Unabhängigkeit als Individuen bestanden.

Das Wichtigste aber war, daß Riel in Gabriel Dumont einen Bundesgenossen bekam, dessen der unsichere und oft vor der folgenschweren Kühnheit seiner Entschlüsse zagende junge Mann bedurfte. Obwohl Dumont nur ein Präriejäger war, besaß er doch gerade das, was Riel fehlte: nüchternen, gesunden Menschenverstand, unverbildete Urteilskraft, Umsicht und Lebenserfahrung. Er wurde bald Riels militärischer und politischer Berater. Ihm gelang oft, was Riel keinem anderen zugestehen mochte: durch offenen, mitunter sogar groben Widerspruch Riels sprunghafte und impulsive Denkweise rücksichtslos mit den Tatsachen zu konfrontieren und in Einklang zu bringen.

Die beiden Bundesgenossen Dumont und Riel sahen sich bald vor eine erste ernsthafte Bewährungsprobe gestellt. Es kam ihnen zu Ohren, daß die Anführer der Kanada-

Partei — Dr. John Schultz und Colonel Dennis — allerlei Pläne schmiedeten, um ihre Niederlage in der Ratsversammlung wettzumachen und die Metis-Regierung doch noch aus dem Sattel zu heben. Das Komplott sollte die Metis durch einen Aufstand zum Bürgerkrieg provozieren. Die Verschwörer waren überzeugt, dieser werde der Regierung in Ottawa den erwünschten Vorwand liefern, zum Schutz kanadischer Staatsbürger schleunigst Truppen an den Red River zu schicken.

Ein solcher Aufruhr hätte nun freilich eine ausreichend bewaffnete und kampfentschlossene Gefolgschaft vorausgesetzt. Da aber die Metis den Generalgouverneur Mc-Dougall und seine 300 Gewehre nicht ins Land hereingelassen hatten, fehlte es den Verschwörern an Waffen. Das dämpfte die Kampflust ihrer Anhänger beträchtlich. Nur mit Flinten bewaffnet gegen die 600 Metis-Reiter anzutreten, konnte nur die wenigen Hitzköpfe vom Schlage des unbelehrbaren Raufbolds Thomas Scott locken.

»Waffen und Munition holen wir uns im Fort Garry«, wischte Dr. Schultz die Bedenken des Colonels Dennis beiseite. »Riel und seine Bastardbande haben ja bisher nicht gewagt, das Fort zu besetzen. Wahrscheinlich haben sie Angst, die Geschütze der HBC könnten von selbst losgehen«, fügte er spöttisch hinzu. »Vor Kanonen haben Wilde immer eine abergläubische Scheu. Sie sollen sehen, Dennis, wenn wir ein paar Granaten ins Blaue abfeuern, laufen diese Halbblut-Helden davon wie eine Büffelherde beim Präriegewitter.«

In Wahrheit hatte Riel eine Besetzung des Forts bisher vermieden, um dem Residenten der HBC eine Demütigung zu ersparen. McTavish hatte ohnehin einen schweren Stand. Eigentlich wäre es seine Aufgabe gewesen, bis zur formellen Übergabe des Ruperts-Landes an das Dominion Kanada im Nordwesten für Ruhe und Ordnung zu sorgen. Doch er besaß dafür weder Machtmittel noch die nötigen Vollmachten. Deshalb hatte er die Ratsversammlung mehrmals dringend gebeten: »Bildet eine ausreichend legitimierte Regierung!«

Im Fort Garry lagerten im Waffenarsenal der HBC noch 600 Gewehre, mehrere kleine Geschütze und reichlich Munition. Eine Truppe gab es jedoch schon lange nicht mehr. Die HBC hatte ihre an Zahl stets nur geringe Grenzpolizei bereits aufgelöst. Auch die Zahl der Verwaltungsangestellten war auf das unerläßlich Notwendige verringert.

Gabriel Dumont, der als geborener Stratege die Fähigkeit besaß, nicht nur mit dem eigenen, sondern auch mit dem Kopf des Gegners zu denken, drängte Riel immer wieder, der Metis-Regierung den befestigten Stützpunkt zu sichern. Er wollte dem Handstreich des Dr. Schultz zuvorkommen, denn — so sagte er: »Fällt das Fort in die Hände dieser bedenkenlosen Kerle, werden sie vor einem Waffengang nicht zurückscheuen, und wir werden es schwer haben, sie aus dem Fort wieder zu vertreiben.«

Riel willigte schließlich ein. Am 2. Dezember ritt Dumont mit 120 Metis-Schützen in das Fort ein, dessen Tore weit offen standen. Er nahm es mit allen Waffen und Vorräten für die Red-River-Republik in Besitz. Der Resident McTavish protestierte zwar bei Riel mündlich und schriftlich gegen diesen Überfall. Doch damit wollte er wohl nur sein Gesicht wahren und der Form genügen. In Wirklichkeit war er froh, dieser Bürde ledig zu sein. Das Direktorium der HBC in London begnügte sich mit dem Hinweis, man werde zu gegebener Zeit Schadenersatz fordern.

Dr. Schultz und Dennis erfuhren von Dumonts Handstreich erst, als sich die Tore des Forts bereits geschlossen hatten und auf den fünf Meter hohen Wällen der kleinen Festung Metis-Posten aufgezogen waren. Dennis sagte sich daraufhin von den Umsturzplänen der Kanada-Partei los. Er sah sich in diesem weisen Entschluß bestärkt durch den unseligen McDougall. Dieser hatte am 1. Dezember noch einmal die Grenze bei Pembina überschritten — allerdings nur, um wenige Schritte jenseits der Grenzlinie eine Proklamation zu verlesen. Dann hatte er sich schleunigst wieder auf den sicheren Boden der USA zurückgezogen.

In dieser Proklamation gab er bekannt, das Ruperts-Land stehe seit dem 1. Dezember 1869 unter der Oberhoheit der britischen Krone, und die Königin habe ihn als neuen Gouverneur des Nordwest-Territoriums bestätigt.

Beides war eine Lüge. In Wirklichkeit hatte die Krone die Übergabe des Ruperts-Landes an das Dominion Kanada erneut auf unbestimmte Zeit verschoben. Sie hatte die Regierung in Ottawa ferner ziemlich ungnädig aufgefordert, anstelle des offensichtlich ungeeigneten McDougall eine andere vertrauenswürdige Persönlichkeit als Gouverneur vorzuschlagen.

Die Verschiebung des Übergabetermins war sowohl Riel als auch McDougall zu diesem Zeitpunkt bereits bekannt. Es war für Riel deshalb ein leichtes, McDougalls Proklamation als dreistes Täuschungsmanöver anzuprangern. Er benutzte diese Torheit McDougalls verständlicherweise sofort dazu, die Anhänger der Kanada-Partei unsicher zu machen. Die Folgen bekam vor allem Dr. Schultz zu spüren.

Schultz' heimlich im ganzen Land verbreiteter Aufruf an

Rechts: Gebiet der Rebellion am Red River 1869/70

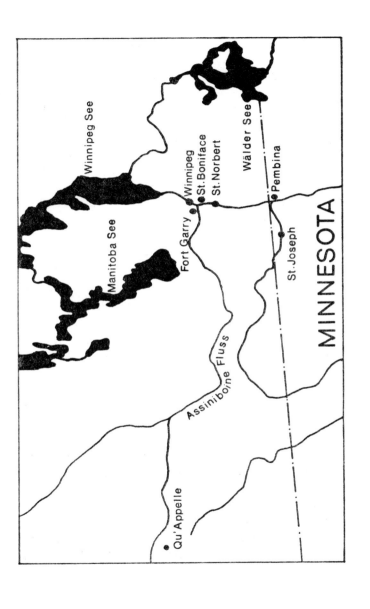

die weißen Siedler, eine Freischar zum Kampf gegen die Metis zu bilden, fand nur geringen Widerhall, zumal Colonel Dennis gleichzeitig die Anhänger der Kanada-Partei aufforderte, sich ruhig zu verhalten und »die bekannte Empfindlichkeit der Metis nicht durch unzeitiges Waffengerassel zu reizen«.

Trotzdem sammelten sich einige vierzig seiner Anhänger im Haus des Dr. Schultz. Sie verbarrikadierten sich in dem Gebäude, tauften es »Fort Schultz« und machten sich ein Gassenbubenvergnügen daraus, die Metis-Reiter zu verhöhnen, wenn sie auf ihren Patrouillenritten an dem Haus vorüberkamen.

Riel und Dumont hatten Mühe, ihre Truppe davon zurückzuhalten, das »Fort Schultz« zu stürmen. Mehrmals versprach Riel seinen erbosten Reitern, Dr. Schultz ein Ultimatum zu stellen und, wenn dies nicht befolgt würde, die Waffen sprechen zu lassen. Er verschob das Ultimatum jedoch immer wieder, weil er fürchtete, der hartköpfige Schultz werde in seinem krankhaften Haß ein solches Ultimatum zurückweisen und damit sein erklärtes Ziel — den Bürgerkrieg und die Intervention Ottawas — am Ende noch erreichen.

Am 7. Dezember war es jedoch so weit, daß Riel der Entscheidung nicht länger ausweichen konnte. Er saß gerade mit Dumont bei Tisch, als sich am Nordtor des Forts Garry Lärm erhob. Fäuste hämmerten gegen die Torflügel, und mehrere Stimmen forderten laut im Chor: »Laßt uns ein! Wir haben dem großen Häuptling der Metis eine wichtige Nachricht zu bringen!«

Die Torposten versuchten vergebens, die Lärmenden fortzuscheuchen. Sie drohten bereits ihre Gewehre abzufeuern. Da kamen Riel und Dumont herbei und befahlen, das Tor zu öffnen. Als dies geschah, drängte sich jedoch nur ein Mann herein, dessen Gesicht Riel bekannt und nicht gerade in angenehmer Erinnerung geblieben war.

Was nun geschah, halten einige Geschichtsschreiber für einen groben Scherz Betrunkener, auf den »der leider ganz humorlose Riel übertrieben scharf reagierte«; andere wieder sehen darin eine bewußte Herausforderung, deren geistiger Urheber Dr. John Schultz war. Sie meinen, Riel habe gar nicht anders auf diese Provokation antworten können und sei sogar »mit bewundernswerter Mäßigung dabei vorgegangen«.

James Hargrave, der als einziger nicht parteigebundener Augenzeuge anwesend war, beschreibt den Vorfall so: »Scott stemmte die Fäuste in die Hüften, musterte Riel mit unverschämten Blicken von oben bis unten und sagte höhnisch: ›Na, du hast es ja weit gebracht, seit wir uns das erstemal sahen — drunten an der Fähre bei St. Boniface. Vom kleinen schäbigen Baalspfaffen-Lehrling zum großen Häuptling der Metis! Ein schöner passender Aufstieg für einen halbblütigen Stänker . . .‹

›Was wollen Sie von mir‹, fragte Riel kühl.

Scott grinste frech: ›Habe dir eine Botschaft von Doc Schultz auszurichten, Bastard. Knöpfe also deine ungewaschenen Ohren auf, und höre gut zu: Doc Schultz hat in seinem festen Haus fünfzig Mann beisammen. Jeder hat acht Runden Munition und ist ein erstklassiger Schütze.‹

›Und was soll das‹, fragte Riel noch immer ganz ruhig. Er wies sogar mit einer Handbewegung einige Metis zurück, die dem unverschämten Scott an den Kragen wollten.

Scott grinste daraufhin noch dreister und herausfordernder. ›Ihr jämmerlichen Bastarde traut euch wohl nur, etwas zu unternehmen, wenn's euch von einem weißen Mann befohlen wird, wie?‹ sagte er. ›Doc Schultz läßt dir ausrichten: Wenn du mischblütiger Hundesohn Mumm und Grips hast, dann sollst zu ihm kommen und ihn aus seinem Bau herausholen.‹

›Ich dulde in meiner Gegenwart Flüche und schmutzige Redensart nicht‹, erwiderte Riel scharf. ›Wiederholen Sie bitte in anständiger Form, was Dr. Schultz mir mitzuteilen wünscht.‹

Scotts Augen funkelten boshaft: ›Also gut, wenn dir das schöne Wort Hundesohn nicht paßt, dann will ich's durch das ersetzen, was Doc Schultz an dessen Stelle gebraucht hat: Schmieriger papistischer Bastard, hat er gesagt.‹

Da hielt Gabriel Dumont es nicht länger aus. Er packte Scott mit der linken Hand vorn am Rockaufschlag, riß ihn nach vorn und zog zugleich mit der rechten Hand sein Messer. ›Du Schuft‹, zischte er dabei in höchster Wut. ›Ich schneide dir deine dreckige Zunge aus dem Schandmaul.‹

›Nein, Gabriel, nein! Nicht so‹, fuhr Riel dazwischen und umklammerte die Hand mit dem Messer. ›Sperre ihn und seine Kumpane ein. Aber krümme ihm kein Haar. Ich werde Schultz die Antwort auf seine Botschaft selbst geben. Laß die Reiter satteln und gefechtsbereit antreten.‹«

Scott und seine vier Gefährten wurden in den Gefängnisbau des Forts gebracht. Laut fluchend und schimpfend verschwanden sie hinter der eisenbeschlagenen Tür.

Gabriel Dumont aber traf keine Anstalten, den Befehl Riels zu befolgen. »Wenn du diese Herausforderung zum Kampf annimmst, tust du genau das, was die Hunde wollen, Louis«, sagte er. Erst jetzt fiel ihm auf, daß Riel leichenblaß geworden war und an allen Gliedern zitterte. Er hörte ihn murmeln: »Einmal ist das Maß voll und die Qual nicht länger zu ertragen!« Dumont bezog diese Worte auf den Zustand der Metis im allgemeinen. Er ahnte nicht, daß Scotts wüste, freche Beschimpfungen Riel an seiner empfindlichsten Stelle getroffen hatten.

Riel holte einige Male tief Atem, um sich zur Ruhe zu zwingen. »Ich weiß, Gabriel, daß du wahrscheinlich recht hast«, sagte er dann, und es klang nicht mehr zornig, sondern nur noch traurig. »Aber ich muß zu diesem äußersten Mittel greifen. Sieh, wenn wir Schultz und seinen Leuten noch länger gestatten, uns so höhnisch herauszufordern, wie es eben geschah, dann geben wir unsere Selbstachtung auf. Nicht nur unsere Feinde, mehr noch die anderen, die sich vorsichtig abwartend abseits halten, werden grinsen und sagen: Die Metis? Ach, die haben nur ein großes Maul, in Wirklichkeit sind sie feige. Es braucht ihnen nur ein Weißer dreist und bestimmt entgegenzutreten, schon weichen sie zurück und werden kleinlaut... Gabriel, wenn wir Schultz und seiner kleinen Anhängerschar diesen Triumph gönnen, dann kann es nicht mehr lange dauern, bis auch die jetzt noch Zögernden Mut fassen und sich auf die Seite unserer Feinde schlagen. Jetzt ist diese Feindschaft nur ein Feuerchen. Treten wir es heute nicht aus, sehen wir uns später einem Präriebrand gegenüber, der das ganze Land verheert und mit Strömen von Blut nicht mehr zu löschen ist.«

»Du könntest recht haben«, sagte Dumont nachdenklich. »Gut, ich lasse die Reiter satteln und antreten.«

»Ich habe nur eine Sorge«, fuhr Riel fort. »Schultz' Haus ist ganz aus Stein gebaut und verbarrikadiert, also wirklich fast ein Fort. Es wird auch gewiß genügend mit Vor-

räten versorgt sein. Eine längere, womöglich sogar ver-
gebliche Belagerung können wir uns jedoch nicht leisten.
Sie würde unserer Sache nicht weniger schaden als ein
Zurückweichen vor der Herausforderung.«

Dumont lächelte breit. »Das soll dir keine Kopfschmerzen bereiten«, sagte er vergnügt. »Wir haben ja die Kanonen der HBC.«

Eine Stunde später ritten Riel und Dumont an der Spitze
von 120 Metis-Reitern nach Winnipeg. Als sie an die
Häuser der Ortschaft kamen, stimmten die Reiter spon-
tan den alten Trotz- und Siegesgesang der Metis an —
das »Falkenlied«, das ihre Väter und Vorväter gesungen
hatten, wenn sie von erfolgreicher Büffeljagd heimkehr-
ten oder in einen Indianerfeldzug ritten. Sie freuten sich,
endlich einmal an den Feind zu kommen. Am Ende der
Kolonne rumpelten zwei Geschütze aus dem Arsenal der
HBC und ein Karren voll Granatmunition über den hartgefrorenen Schnee. Das Lied und die Kanonen verkünde-
ten weithin, daß Louis Riel und seine Metis-Landwehr
nicht mehr mit sich spaßen lassen wollten.

Sie holten ihre Flagge nieder

Die Bürger von Winnipeg beobachteten mit Schrecken
den Aufmarsch der Metis-Truppe. Sie erfaßten sofort,
daß dieser nur dem »Fort Schultz« gelten konnte. Doch
jedem von ihnen war auch klar, daß ein Kampf um das
Haus dieses haßbesessenen Hitzkopfs leicht einen Bürgerkrieg auslösen konnte, dessen Folgen niemand vorauszusehen vermochte, den aber jeder zu fürchten hatte.

Während Gabriel Dumont das »Fort Schultz« von allen Seiten umstellen ließ, begaben sich der Postmeister Bannatyre und der Faktoreileiter der HBC, Cowan, eilig zu Riel. Sie erboten sich, als Friedensvermittler zu wirken, und beschworen Riel, Schultz und seine Anhänger unbehelligt abziehen zu lassen, wenn diese ihre Waffen ablieferten und versprachen, in Zukunft Frieden zu halten.

Riel war schon geneigt, auf den Vorschlag einzugehen, da beging im »Fort Schultz« irgend jemand die Torheit, auf dem Dach des Hauses die Fahne der Kanada-Partei zu hissen — einen Union-Jack mit dem eingestickten Wort »Kanada«. Riel und seine Metis mußten dies als eine unerträgliche Herausforderung empfinden, die nicht nur die Red-River-Republik, sondern auch ihre Kampfbereitschaft verhöhnen sollte.

»Gehen Sie bitte hinein«, sagte Riel zu Bannatyre, »und erklären Sie diesen Narren: Die Regierung des Red-River-Freistaates gibt ihnen fünfzehn Minuten Zeit, das Gebäude ohne Waffen zu verlassen und sich zu ergeben. Andernfalls lasse ich das Feuer eröffnen.«

Erst dieses Ultimatum öffnete den Gefolgsleuten des Dr. Schultz die Augen dafür, daß ihr Anführer sie in eine Sackgasse manövriert hatte. Offenbar hatten sie sich von ihm einreden lassen, die Metis seien durch Dreistigkeit einzuschüchtern. Wahrscheinlich hatte die Geringschätzung, die er Riel und dessen Volk entgegenbrachte, ihn zu der Annahme verleitet, der Gegner werde zu einem geordneten, zielstrebigen Vorgehen nicht imstande sein.

Bannatyre kehrte schon nach wenigen Minuten bedrückt zurück. »Der Doktor verlangt Bedenkzeit«, berichtete er. »Er will erst seine Bedingungen formulieren, sagt er. Aber ich glaube nicht, daß seine Leute es darauf ankommen lassen. Sie streiten sich bereits und machen sich gegenseitig Vorwürfe. Den meisten ist nicht mehr wohl in ihrer Haut. Ich bitte Sie, Mr. Riel, haben Sie noch länger als eine Viertelstunde Geduld!«

»Gut«, erwiderte Riel, »gehen Sie noch einmal hinein, Postmeister, und richten Sie aus: Ich verlängere die Frist noch einmal um fünfzehn Minuten. Ich erlaube ferner, daß sich Frauen und Kinder sowie Indianer, falls sich solche im Haus befinden, unbehelligt entfernen, selbst wenn mein Ultimatum abgelehnt wird.« Als sich Bannatyre zum Gehen anschickte, hielt ihn Riel am Arm zurück und fügte leise hinzu: »Sagen Sie denen da drinnen auch: Wir werden keine Gefangenen machen, wenn wir das Haus stürmen müssen.«

Bannatyre ging und kam nach zwei Minuten zurück. Zehn weitere Minuten verstrichen. Dumonts Kanoniere standen bereits mit brennenden Lunten hinter ihren geladenen Kanonen. Da stürzte jemand aus dem Haus und schrie mit heiserer Stimme: »Nicht schießen, nicht schießen! Wir kapitulieren!«

Gleichzeitig holten zwei Männer auf dem Dach in großer Hast die Fahne nieder.

Ein deutlich hörbares Murren der Enttäuschung lief durch die Reihen der schußbereit wartenden Metis-Reiter. Sie alle hatten von Dr. Schultz und dessen Parteifreunden in letzter Zeit so viele Beschimpfungen und Verhöhnungen einstecken müssen, daß sie darauf brannten, diese Unbill jetzt zwei- und dreifach heimzuzahlen. Und nun stellten sich ausgerechnet diese sonst so großmäuligen und hochnäsigen Gegner nicht zum Kampf!

Die Gefangenen kamen einzeln in langer Reihe mit gesenkten Köpfen zwischen den erhobenen Händen ins

Freie. Hier wurden sie von den Reitern auf verborgene Waffen abgetastet, was natürlich nicht ohne Rippenstöße und andere Grobheiten abging. Dann trieb man sie zu einem Haufen zusammen, um den sich die Reiter mit vorgehaltener Waffe schlossen. Keiner der Gefangenen wagte ein Wort zu sagen oder auch nur mit einem Fluch aufzubegehren, wenn ihm eine Faust in die Rippen stieß. Auf jedem Gesicht malte sich die Furcht, den Grobheiten werde Schlimmeres folgen.

Als letzter kam Dr. Schultz heraus. Als er von den Reitern untersucht und dann weitergestoßen wurde, erspähte er Riel und zischte ihm zu: »Für diese böse Stunde sollst du mir büßen, Bastard!« Der neben ihm stehende Reiter beförderte ihn mit einem Fußtritt in den Schnee.

Ein Dutzend Cree-Indianer, die sich von der Kanada-Partei hatten anwerben lassen, weil sie sich von einem Aufstand Gelegenheit zum Beutemachen versprachen, durften ungehindert heimgehen, nachdem ihnen Dumont eine derbe Strafpredigt gehalten hatte. Sie wurden nicht einmal auf Waffen untersucht.

Deshalb entging es den Metis, daß sich unter den Indianern auch eine einzige Squaw befand, die — von Kopf bis Fuß in Decken gehüllt — ächzend davonhumpelte. Erst später stellte es sich heraus, daß sich Colonel Dennis in dieser Verkleidung der Gefangennahme entzogen hatte und sich zur Grenze, nach Pembina, durchschlagen konnte. Er traf dort gerade noch rechtzeitig ein, um dem abgeblitzten »neuen Cäsar des Nordwestens«, den Generalgouverneur ohne Land McDougall, von dem mißlungenen Putschversuch zu berichten. Zusammen traten die beiden am Widerstandswillen Louis Riels und seiner Metis gescheiterten Eroberer den Rückzug nach Ottawa an.

Eine Republik am Red River

Alles ließ sich gut an

St. Boniface, 10. 1. 1870

»Hier läßt sich alles gut an. Riel hat mit dem verhinderten Putschversuch des unseligen Dr. Schultz seine ärgsten Feinde ausgeschaltet. Er darf deshalb zuversichtlich hoffen, daß es ihm und seinen Metis gelingen wird, mit friedlichen Mitteln ihr Ziel zu erreichen. Dies um so mehr, als die Stimmung in Ottawa offensichtlich umgeschlagen ist. Daß die Metis einig und entschlossen sind, ihre Rechte zu verteidigen und Frieden im Land zu bewahren, hat dort Eindruck gemacht. Ebenso sind, wie ich höre, die maßvollen Formulierungen im Grundgesetz der Red-River-Republik bei den Einsichtigen nicht ohne Wirkung geblieben.

Ich vermute, man sieht in Ottawa jetzt endlich ein, daß man schwere Fehler beging und mit dem Ruperts-Land nicht so verfahren kann wie mit einer frisch unterworfenen Kolonie voll unzivilisierter Halbwilder. Exzellenz McDougall und sein Handlanger Dennis sind, wie verlautet, wegen ihrer voreiligen, unklugen Aktionen gerügt worden, und es ist zu erwarten, daß sie von der politischen Bühne verschwinden.

Riel und seine Metis jubelten, als diese Maßregelung der beiden ärgsten Sündenböcke bekannt wurde. Sie sehen darin ein Versprechen der Regierung, daß man sie in Zukunft als gleichberechtigte Verhandlungspartner anerkennen will. Um ihren guten Willen zu zeigen, hat sich die Red-River-Republik am 18. Dezember zu einem Provisorium erklärt, das automatisch enden soll, sobald das Dominion das Ruperts-Land offiziell übernimmt. Wie verlautet, sollte die Krone dieser Übernahme am 1. Januar 1870 feierlich ihren Segen geben. Das ist offensichtlich nicht geschehen, also bleibt jetzt weiter Zeit zum Verhandeln.

Louis Riel ist anstelle des alten John Bruce zum Präsidenten dieser provisorischen Republik bestellt worden. Er hat sofort drei Delegierte nach Ottawa geschickt. Sie sollen dort eine Übereinkunft aushandeln, die es den Bewohnern des Ruperts-Landes gestattet, nach Maßgabe der Bestimmungen des ›Grundgesetzes der Red-River-Republik‹ als vollgültige Bürger in das Dominion Kanada überzutreten.

Ja, alles läßt sich hier gut an zur Zeit der Jahreswende. Ich fürchte nur, Riel und seine Anhänger jubeln zu früh. Sie kennen die Winkelzüge der Politik noch zu wenig. Riel verläßt sich zu sehr darauf, daß er so viel ohne Gewaltanwendung und Blutvergießen erreicht hat. Er meint, er darf deshalb beanspruchen, als gleichberechtigter Verhandlungspartner anerkannt zu werden, und glaubt, er sitze fest im Sattel und könne die Zügel nach seinem Gutdünken lenken.

Ich hingegen bin überzeugt: Ein einziger blutiger Zwischenfall, und sei er aufs Ganze gesehen noch so unbeträchtlich, wird genügen, diese Sicherheit zunichte zu machen und sie als Illusion zu entlarven. Dann wird man die Metis aufs neue als ›unzuverlässige, blutdürstige Wilde‹ anschwärzen, die keine andere Behandlung als die Indianer verdienen — also kein Selbst- und Mitbestimmungsrecht zu beanspruchen haben und am besten in Reservate abgeschoben werden.

Ich fürchte, ein solcher Zwischenfall wird gar nicht mehr lange auf sich warten lassen. Es gibt noch immer genug Anhänger der Kanada-Partei, die sich auf freiem Fuß befinden und in ihrem aberwitzigen Haß gegen die Metis bereit sind, mutwillig mit dem Feuer eines Bürgerkrieges zu spielen.«

Der Mann, den wir diesen Augenzeugenbericht aus der Red-River-Republik verdanken — der in Montreal geborene Frankokanadier A. L. Chatlain, der für New Yorker Zeitungen tätig war, befürchtete vor allem, der kanadische Miliz-Major Boulton, der mit den obskuren Vermessungstrupps des Colonels Dennis ins Red-River-Tal eingeschleust worden war, werde vor einem bewaffneten Aufstand nicht zurückschrecken.

Boulton hatte sich nach dem Debakel des Dr. Schultz in der Siedlung Portage La Prairie verkrochen. Hier, einige Meilen vom Assiniboine-Fluß, gab es das beste Farmland. Deshalb hatten sich dort seit 1860 die meisten englischen Ansiedler niedergelassen. Boulton bemühte sich nun, in dieser Gegend in aller Stille eine neue Streitmacht aufzustellen, um sie gegen die Metis ins Feld zu führen. Sein Plan war, Fort Garry in einem Handstreich zu überrumpeln und die dort internierten Anhänger der Kanada-Partei zu befreien.

Obwohl Boulton mit diesem Plan das Solidaritätsgefühl der englischen Farmer anzusprechen hoffte, fand er bei ihnen nur geringe Gegenliebe. Nur eine Handvoll Ontario-Leute, die im Land noch nicht festen Fuß gefaßt hatten und nicht gerade eine Zierde ihres Volkes waren, meldete sich freiwillig. Aber ihnen lag mehr an freier Verpflegung und Schnapszuteilung als an militärischem Drill. Ein Winterfeldzug mit ungewissen Erfolgsaussichten, aber harten Strapazen war nicht nach ihrem Geschmack.

Boulton gewann bei den englischen Farmern erst mehr Gehör, als Riel es gegen den Rat Gabriel Dumonts ablehnte, die sechzig internierten Anhänger der Kanada-Partei freizulassen. Dumont schlug ihm vor, sie alle — außer Dr. Schultz — Urfehde schwören zu lassen und dann auf freien Fuß zu setzen; Dr. Schultz aber solle sofort wegen Landfriedensbruchs vor Gericht gestellt werden. »Nur so«, erklärte Dumont, »läßt sich verhindern, daß eine schleichende Mißstimmung im Land um sich greift und sich Zündstoff für einen größeren Brand anhäuft.«

Riel sah die Lage anders. »Wir brauchen die Internierten als Geiseln«, sagte er. »Und wir können es uns einstweilen auch nicht leisten, unsere entschlossensten Widersacher auf freiem Fuß zu lassen. Sie sollen ein faires Gerichtsverfahren bekommen — aber erst, wenn weder ein Freispruch noch ein neuer Putsch unsere Regierung erschüttern kann. Ottawa hat uns ja wissen lassen, daß es demnächst eine Delegation zu Verhandlungen schicken wird. Trifft sie wirklich ein, dann bedeutet dies, daß unsere Regierung als gleichberechtigter Verhandlungspartner anerkannt ist. Damit erst ist erreicht, was ich erreichen will.«

»Das ist nicht menschlich gedacht und nicht einmal klug«, warnte Dumont. »Es ist auch nicht Metis-Art, in das gegebene Wort selbst eines Gegners kein Vertrauen zu setzen.«

Doch auch mit diesem Einwand erschütterte er Riels ablehnende Haltung nicht. »Mag sein, Gabriel«, erwiderte Riel. »Aber es gehört zur politischen Taktik, und von ihr allein muß ich mich in diesem Fall leiten lassen.«

Die Delegation aus Ottawa ließ länger als vorgesehen auf sich warten, und so zögerte sich die Freilassung der Internierten immer wieder hinaus. Infolgedessen wuchs der Unwillen bei den englischen Siedlern an und damit auch Boultons Freischar in Portage La Prairie. Diese Entwicklung wurde noch zusätzlich von den Metis selbst begünstigt, und das hatten weder Riel noch Dumont vorausgesehen, obwohl sie die Schwächen ihrer Landsleute eigentlich hätten kennen und in Rechnung stellen müssen.

Die strenge Disziplin, die Riel seiner Kerntruppe in Fort Garry auferlegte, wurde den unbändigen Präriejägern und Waldläufern mit der Zeit unleidlich. Sie wurden nachlässig im Dienst und aufsässig gegen ihre Vorgesetzten. Ihre Unrast entlud sich in Streitereien, Schlägereien und Trinkgelagen. In der Nacht zum 9. Januar 1870 führte die Trinkerei dazu, daß schließlich im Fort Garry kein einziger Wachtposten noch klar bei Sinnen war.

Das entging den Internierten natürlich nicht. Mehr als fünfzig von ihnen, darunter auch Thomas Scott, nutzten die günstige Gelegenheit aus. Einer stahl aus der Wachtstube den Schlüssel zur Tür des Gefängnisbaus, und am nächsten Morgen waren die Zellen leer. Dreizehn Flüchtlinge fing man in den nächsten Tagen wieder ein. Die übrigen schlugen sich bis Portage La Prairie durch und verstärkten die Truppe des Majors Boulton.

Nur die vier inhaftierten Anführer der Kanada-Partei, die abseits in einem Wohngebäude isoliert waren, verpaßten die Möglichkeit zur Flucht. Sie verschliefen sie, denn Riel hatte selbst diesen gehässigsten und erbittersten Feinden eine recht humane, ja behagliche Haft bereiten lassen. Jeder bewohnte zwei Zimmer, und die Verheirateten — wie Dr. Schultz — durften ihre Wohnung sogar mit den Ehefrauen teilen.

Damit hatte es nun freilich ein Ende. Die vier Häftlinge mußten sich von ihren Bequemlichkeiten und ihren Frauen trennen und jeder für sich mit einer kahlen Einzelzelle im zweiten Stock des Gefängnisbaus vorliebnehmen.

Daß die Fenster dieser Zellen nicht vergittert waren, beachtete keiner der Metis. Nichts lag ihrem Denken ferner als solche ausgetüftelten Feinheiten einer ausgebildeten Staatsverwaltung. Nun ja, sie hatten auch noch nicht genug Zeit gehabt, sich auf dergleichen einzuüben. Das von jeher unbürokratisch lässige Verwaltungssystem der HBC war zudem das einzige, das sie aus eigener Anschauung kannten, und ihre Red-River-Republik war erst wenige Wochen alt.

Dem Dr. Schultz, der aus einem wesentlich fortschrittlicheren Teil Kanadas stammte und eben deshalb die Metis von Herzen als Halbwilde verachtete, entging dieser Mangel an Zivilisation natürlich nicht. Daß die Gitter fehlten, gab ihm sofort einen Plan ein, den er noch am gleichen Tag verwirklichte. Auch er fand nun, daß sich alles gut anließ — zumindest jetzt, nach diesem unverhofften Zwischenfall des Gefangenenausbruchs.

Mr. Smith rettet das Dominion

Der 19. Januar 1870 muß ein bedeutsamer Tag in der
Geschichte Kanadas genannt werden, auch wenn keins
der offiziellen Geschichtsbücher ihn erwähnt. An diesem
Tag entschied sich nicht nur das Schicksal der »Rebellion
am Red River«; er rettete auch den Bestand des Dominions Kanada und legte zugleich den Keim zu einer seiner
wichtigsten Provinzen, zu Manitoba.

Schon beim ersten Lichtschimmer dieses sonnigen, aber
beißend kalten Wintertags strömten auf einer ebenen
Fläche vor den Wällen des Forts Garry Männer aus allen
Teilen der Red-River-Republik zusammen: aus Kildonan,
St. Andrews, Seven Oaks und Headingly, wo Lord Sel-
kirk seine schottischen Farmer angesiedelt hatte, und aus
St. Boniface, St. Norbert und St. Vital, den Siedlungs-
schwerpunkten der seßhaft gewordenen Metis französischen Blutes. Doch selbst aus weit abgelegenen Dörfern
und Weilern hatten sich Abordnungen eingefunden.

Gegen Mittag waren mehr als tausend Männer auf dem
Feld versammelt. Der hartgefrorene Schnee knirschte unter ihren Füßen, wenn sie herumwanderten, um alte,
lange nicht gesehene Freunde zu begrüßen, oder mit den
Füßen stampften, um sich warm zu halten. Über allen
Gruppen stieg wie Rauchwölkchen der Nebel des Atem-
hauchs in die Frostluft.

Trotz der Kälte verlor niemand die Geduld, als das Ereignis, dessen wegen sie weither zusammengekommen waren, über Gebühr auf sich warten ließ. Sie genossen es
vielmehr, daß sich ihnen eine so ausgiebige Gelegenheit
zu Meinungsaustausch und Familienschwatz bot. Der-

gleichen kam sonst um diese Jahreszeit zu kurz. Im Winter reiste im Ruperts-Land nur, wer unbedingt mußte. Sonst blieb man lieber beim wärmenden Feuer innerhalb der eigenen vier Wände.

So standen sie denn — gut Zweidrittel aller Familienoberhäupter des Kerns der Red-River-Republik — auf dem plattgetretenen Schnee, plauderten und bestaunten die Flagge, die am Fahnenmast über Fort Garry flatterte: ein schneeweißes Tuch mit einer einzigen goldenen Bourbonen-Lilie. Obwohl diese Flagge dort bereits seit dem 5. Dezember anstelle der Biberfahne der HBC wehte, hatten doch die wenigsten sie gesehen. Die wenigen Kundigen mußten den Unkundigen erst lang und breit erklären, daß dieses Tuch die Flagge ihrer Red-River-Republik war und warum Louis Riel — »M'sieur le Président«, wie sie ihn respektvoll nannten — gerade dieses alte Wappen der 1612 am St. Lorenz gegründeten Kolonie »Neufrankreich« als Abzeichen des Metis-Freistaates gewählt hatte: »Weil von Neufrankreich die Voyageurs nach Westen vordrangen, Indianerinnen heirateten und so die Stammväter der Metis wurden.«

So wenig diese Männer sonst bewußt Vergangenem nachhingen, weil sie viel lieber lebensfroh sich dem gegenwärtigen Tag zuwandten — der sichtbare Hinweis auf eine so alte, ehrwürdige Tradition gefiel ihnen ausnehmend und erfüllte sie mit Ehrfurcht und Stolz, und genau das sollten sie nach dem Willen Riels beim Anblick der Flagge auch empfinden.

Aber nun, das Mittagsläuten von St. Boniface war eben verklungen, dröhnten von den Wällen des Forts Salutschüsse der alten HBC-Kanonen herüber. Das Tor tat sich auf, und ihr Präsident Louis Riel trat ins Freie, an seiner

Seite der Abgesandte der kanadischen Regierung, dahinter Riels Beraterstab, überragt von der Hünengestalt Gabriel Dumonts.

Die Menge drängte nach vorn, bildete eine Gasse, reckte die Hälse. Keiner kannte Donald A. Smith, den kanadischen Unterhändler, und viele hatten auch Louis Riel noch nie gesehen. Die langen Beine des hochgewachsenen Schotten Smith griffen, wohl der Kälte wegen, so tüchtig aus, daß der stämmige, kurzbeinige Metisführer Mühe hatte, mit ihm Schritt zu halten, was ihn sichtlich verdroß. Er hatte mit Smith in den vorausgegangenen Tagen ohnehin schon einigen Ärger gehabt.

Da war zunächst die Frage der Vollmachten gewesen. Im Beglaubigungsschreiben, das Smith vorwies, hatte es nicht geheißen, wie Riel erwartete und beanspruchen zu müssen meinte: Die Regierung des Dominions Kanada bevollmächtigt Mr. Donald A. Smith zu Verhandlungen mit der provisorischen Regierung der Red-River-Republik auf dem Boden des Ruperts-Landes, sondern: Sie betraut ihn auf Wunsch Ihrer Majestät der Königin damit, den Standpunkt der Regierung darzulegen und Erklärungen entgegenzunehmen, die Gegenstand späterer Verhandlungen sein können. Riel betrachtete diese Formulierung — mit Recht — als unbefriedigend und als ein erneutes Ausweichen Ottawas; außerdem witterte er dahinter eine absichtliche Mißachtung der Metis-Regierung.

Der zweite Streitpunkt ergab sich aus der Forderung Smith', er werde den Standpunkt der kanadischen Regierung nur einer Volksversammlung erläutern, zu der alle Oberhäupter der im Red-River-Gebiet ansässigen Familien einzuberufen seien. Nur vor einem Metis-Komitee zu sprechen, wie Riel es verlangte, lehnte Smith strikt ab.

Riel war sehr heftig geworden, als Smith auch dann noch auf dieser Forderung bestand, als Riel sich bereit erklärte, in der Frage der Verhandlungsvollmacht Entgegenkommen zu zeigen.

Smith bekam die ganze Empfindlichkeit eines frischgebackenen Staatswesens und Staatsmannes zu spüren, als Riel auffuhr und ausrief: »Aber, Monsieur, wenn ich auf diese Forderung eingehe, dann kann jeder Böswillige daraus schließen, daß Sie und mit Ihnen auch die Herren in Ottawa meine Regierung für nicht hinreichend bevollmächtigt halten, im Namen und Auftrag des Volkes am Red River zu sprechen und zu handeln, und daß wir diese Auffassung sogar billigen! Ich kann und will aber niemand erlauben, meine Glaubwürdigkeit und Zuständigkeit auch nur von fern in Zweifel zu ziehen!«

In dieser kritischen Situation war es aufs neue der alte Gabriel Dumont, der Riel aus der Sackgasse hinaushalf, in die dieser sich selbst und die Metis-Sache hineinzumanövrieren drohte.

»Louis«, sagte Dumont, der als einziger Riel nie mit »Monsieur le Président« anredete, »Louis, ich muß einmal wieder als Büffeljäger zu dir sprechen. Es kann sich im Lauf eines Jagdzugs herausstellen, daß die Jagd anders abläuft als geplant. Auch dem besten Jagdführer widerfährt es, daß sein Plan mißlingt, denn das Wild hat ja auch seinen eigenen Kopf. Es war dann nicht nur das Recht, sondern auch die Pflicht des gewählten Jagdführers, daß er die Jäger zusammenrief und sie befragte, ob und wie die Jagd weitergeführt werden sollte. Dann darf jeder Jäger seine Meinung sagen, und alle haben das Recht, durch Abstimmung zu entscheiden, was geschehen soll. Ich meine, in einer solchen Lage sind wir jetzt. Er-

lauben wir deshalb Mr. Smith, zu unserem Volk zu sprechen. Denn wenn wir ihm schon zutrauen, daß er mit uns
und wir mit ihm ohne Hintergedanken und Winkelzüge
über unsere Zukunft als Volk verhandeln können, dann
dürfen wir ihm das Vertrauen schenken, daß er offen und
ehrlich vor einer Volksversammlung sagen wird, was unser Volk wissen sollte, um über den Weg in die Zukunft
Klarheit zu bekommen. Hier kann, wie bei der Büffeljagd, nur gegenseitige Offenheit, gegenseitiges Vertrauen
weiterhelfen. Mr. Smith ist im Dienst der HBC groß geworden. Ich bin sicher, er weiß deshalb genauso wie wir,
wieviel ein offenes Wort unter Männern und ein Handschlag wiegen.«
Donald Smith ließ sich nicht anmerken, ob dieser Appell
des alten Büffeljägers an seine Herkunft aus dem Dienst
der HBC für ihn mehr bedeutete als eine sentimentale
Erinnerung. Aber sein späteres Verhalten während der
Volksversammlung, in deren Einberufung Riel nun doch,
wenn auch widerstrebend, einwilligte, läßt darauf schließen, daß er Gabriel Dumont verstanden hatte.
Man darf überhaupt sagen, daß die Regierung in Ottawa
nach ihren vielen Fehlgriffen und arroganten Torheiten
angesichts des Red-River-Problems jetzt einmal einen
lichten Moment gehabt haben muß, als sie sich mit dem
Vorschlag der britischen Krone einverstanden erklärte,
Donald A. Smith als Unterhändler zu Louis Riel zu schik-
ken. Smith hätte diesen heiklen Auftrag, wie er selbst
sagte, niemals angenommen, wenn er sich nicht, trotz der
einschränkenden Finessen in seinem Beglaubigungsschreiben, als ermächtigt angesehen hätte, echte Verhandlungen zu führen.
Ganz ohne persönlichen Ehrgeiz kam freilich auch er nicht

an den Red River. Er wußte gut, daß er jetzt, im fünfzigsten Lebensjahr, an dem entscheidenden Punkt seiner Laufbahn angelangt war. Wie bei der HBC üblich, hatte er als »Lagerhausbesen« begonnen. Das heißt: er hatte in entlegenen Faktoreien stinkende Rohpelze gezählt und gebündelt und mit den Indianern Tauschhandel getrieben. Dann bestellte ihn die HBC zum Administrator des Labrador-Distrikts. Er reorganisierte diesen bis dahin unergiebigen und vernachlässigten Bezirk innerhalb von zwanzig Jahren mit so viel Geschicklichkeit, daß ihn das Direktorium mit der Leitung des wichtigen Montreal-Distrikts betraute. Diesem schwierigen Posten oblagen die Verhandlungen mit der kanadischen Regierung, als es zum Verkauf des Ruperts-Landes kam. Smith bewies hierbei erneut seine Umsicht, so daß schon jetzt als sicher gelten durfte, man werde ihn in Kürze an die Spitze des Direktoriums der HBC berufen — mit der Aufgabe, das Unternehmen von Grund auf neu zu organisieren. Wie dies zu geschehen habe, wußte er bereits: Das Unternehmen sollte eine moderne, bewegliche und kapitalstarke Handels- und Industriefirma werden, die auch nach dem Verlust des alten Pelzhandelsmonopols in der Wirtschaft Kanadas als treibende und gestaltende Kraft weiterwirken konnte. Vor allem sollte sie sich nach Smith' Vorstellung am Ausbau der Verkehrswege und der Erschließung der Bodenschätze maßgebend beteiligen.

Um solche weitgespannten und hochfliegenden Pläne zu verwirklichen, die als erstes und wichtigstes Ziel den Bau einer Transkanadabahn hatten, mußte aber die bei Gründung des Dominions zur Voraussetzung genommene Einheit des Territoriums »von Meer zu Meer«, also vom Atlantik zum Pazifik, gesichert werden.

Solange sich das Red-River-Gebiet gegen den Anschluß an das Dominion sperrte, war diese Einheit nur Theorie. Ja, sie würde womöglich nie verwirklicht werden, wenn die Transkanadabahn nicht in absehbarer Zeit zustande kam. Denn nur weil Ottawa den Bau dieser Bahn verbindlich zusagte, hatte sich Britisch-Kolumbia bereit erklärt, dem Dominion beizutreten.

Smith sah mit Grausen, welche Fehler die Regierung bei der Behandlung des Red-River-Problems beging. Er gestand sich aber ein, daß ihm selbst bei den Verhandlungen über den Verkauf des Ruperts-Landes an das Dominion ein schwerer Irrtum unterlaufen war: Er hatte nicht einen Augenblick an die Bevölkerung und deren Rechte gedacht, freilich auch nicht erwartet, daß diese ihre Rechte so energisch und selbstbewußt geltend machen würde.

Die Folgen dieses Mißgriffs mußten schleunigst bereinigt werden. Das sah Donald Smith ein, und deshalb war ihm der Auftrag der Krone sehr willkommen, am Red River nach dem Rechten zu sehen und der Krone — und damit dem Dominion — die Loyalität der dortigen Bevölkerung zu sichern. Daß er dabei mehr seine eigenen Ziele und den Vorteil der HBC im Auge hatte als das Wohl der Menschen, darf man als sicher annehmen. Doch das stellt die Redlichkeit, mit der er sich der Sache der Metis und Louis Riels annahm, nicht in Frage.

Man darf ferner als sicher annehmen, daß der weltkluge und menschenerfahrene Smith seinen jungen Verhandlungspartner schnell durchschaute und richtig einschätzte. Vor allem entging ihm dessen innere Unsicherheit gewiß nicht, denn diese sprach sich selbst in Kleinigkeiten immer wieder deutlich genug aus — in Riels betont sorgfältiger Kleidung zum Beispiel, von der die unvermeidlichen

Mokassins so sonderbar abstachen; in seiner feierlichen Haltung und gewählten Redeweise; in seiner Empfindlichkeit bei Formalien und in der Hartnäckigkeit, mit der er sich in Nebensächlichkeiten festbiß.

Smith hat Riel später das Zeugnis ausgestellt, dieser habe »eine erfrischende Energie und Entschlußkraft als Urheber und Organisator einer staatlichen Ordnung am Red River bewiesen, die nicht nur ein blutiges Chaos verhütete, sondern auch einer drohenden Einmischung aus der südlichen Nachbarschaft das Wasser abgrub.«

Zunächst aber wußte er sich die Schwächen Riels geschickt zunutze zu machen. Als sie nebeneinander das Podium am Rande des Feldes vor der Volksversammlung betreten hatten, bat Smith Louis Riel höflich, das Amt des Dolmetschers zu übernehmen: »Ich spreche leider kein Wort Französisch, Sie hingegen gut Englisch«, sagte er. »Ich wüßte nicht, in wessen Händen diese schwierige Aufgabe besser aufgehoben wäre als in den Ihren.«

Dies schmeichelte Riel, denn es wies ihm eine Schlüsselposition zu. Es bürdete ihm aber große Verantwortung auf und unterwarf seine Redlichkeit als Politiker einer harten Probe. Genau dies beabsichtigte Smith. Riel erriet den Kniff sofort und hätte am liebsten abgelehnt. Aber er mußte sich sagen, daß er damit seine Aufrichtigkeit in Zweifel gesetzt hätte, und so stimmte er verdrossen zu.

Sein Verdruß verflog schnell, denn zunächst durfte er ausgiebig seiner Vorliebe für Formalitäten frönen. Trotz der Kälte ließ er mit aller Umständlichkeit ein Versammlungspräsidium wählen mit Vorsitzendem, Beisitzern und Schriftführer. Dabei achtete er streng darauf, daß jede Bevölkerungsgruppe gebührend vertreten war. Niemand sollte den Metis nachsagen können, sie hätten bei dieser

Versammlung irgendwelche Rechte verletzt oder sich als »Halbwilde« über Gepflogenheiten zivilisierter Gemeinschaften hinweggesetzt. Insgeheim dachte er wohl auch, diese Umständlichkeiten würden im Verein mit der Kälte den Gast ermüden und ihm den Redeschwung nehmen.

Doch da unterschätzte er Donald A. Smith sehr. Als die Formalitäten nach zwei Stunden endlich überstanden waren, trat Smith gelassen vor und begann seine Rede. Er verlas zunächst sein Beglaubigungsschreiben; dann aber sprach er frei, und schon nach wenigen Sätzen hatte er die Aufmerksamkeit der Menge gewonnen. Die Zuhörer, die sich während der vorausgegangenen Formalitäten unaufhörlich durch Trampeln und Armschlagen zu erwärmen suchten oder sich um die kleinen Feuer drängten, die Halbwüchsige in Gang hielten, wurden ganz still, je weiter Smith' Ansprache vorrückte, obwohl die Kälte mit sinkender Sonne immer bissiger wurde.

Der große Mann der HBC sprach ganz schlicht und mit persönlicher Wärme. »Ich bedauere«, so begann er, »daß Sie und ich uns erst heute kennenlernen, obwohl ich schon so lange im Dienst der HBC stehe. Aber ich bin so klug gewesen, mir eine Frau zu nehmen, die ein Kind des Red-River-Gebiets ist. Deshalb steht Ihr Heimatland meinem Herzen näher als jedes andere, mein heimatliches Schottland nicht ausgenommen.«

Dieses Bekenntnis gefiel den Leuten. Sie klatschten freundlich Beifall.

»Sie wissen«, fuhr Smith fort, »ich bin eng mit der HBC verbunden. Deshalb könnte ich es Ihnen nicht verdenken, wenn Sie mir Mißtrauen, ja, Abneigung entgegenbringen. Denn die HBC — und daran trage vor allem ich selbst Schuld — hat den schweren Fehler begangen, Sie nicht um Ihre Meinung zu fragen, als sie das Ruperts-Land dem Dominion Kanada übertrug. Diesen Fehler will ich wiedergutmachen, soweit dies noch in meiner Macht steht.

Dazu brauche ich jedoch Ihre Unterstützung. Nur wenn das von jeher gute Verhältnis zwischen Metis und HBC neu belebt wird, bin ich imstande, dem Red-River-Gebiet als ehrlicher Makler so zu dienen, wie es mir vorschwebt. Ich bin darauf gefaßt, daß Sie Zeit brauchen, zu mir und meinem Auftrag Vertrauen zu fassen. Falls es dem Ruperts-Land und seinen Bewohnern nützen kann, bin ich deshalb bereit, auf mein Amt bei der HBC zu verzichten und den Auftrag, den mir Ihre Majestät die Königin erteilt hat, solange wie nötig auszudehnen — das heißt, bis ich Einvernehmen zwischen Ihrer Regierung, der Krone und der Regierung des Dominions hergestellt habe. Der Krone liegt es am Herzen, daß das Land am Red River und seine Bürger den ihnen zustehenden angemessenen Platz im Verband des Dominions einnehmen. Dieses in die Wege zu leiten, sehe ich als meine Aufgabe an.«

An dieser Stelle unterbrach starker, langanhaltender Beifall den Redner. Smith hatte — Riel mußte es mit Neid widerwillig anerkennen — den richtigen Ton getroffen, um das Ohr und das Gemüt der Metis anzusprechen.

»Das Dominion Kanada braucht das Red-River-Gebiet und seine Menschen, um das zu werden, was seinen Gründern vorschwebte: ein Reich des Friedens, der Eintracht und des Wohlstandes von Meer zu Meer«, fuhr Donald Smith fort. »Doch auch Sie, meine Zuhörer, brauchen das Dominion, um in Frieden, Eintracht und Wohlstand auf dem Boden Ihrer Heimat mit Ihren Familien gedeihen zu können. Was ich tun kann, um dieses Ziel zu erreichen, soll geschehen. Das verspreche ich Ihnen, verspreche es als Beauftragter Ihrer Majestät der Königin, die jedem ihrer Untertanen Recht, Freiheit und Wohlergehen zu sichern wünscht. Ich verspreche es Ihnen aber auch als ein Mann, der im Dienst jenes Unternehmens steht, in dessen Bereich — wie Sie alle wissen — das gegebene Wort eines Mannes ebenso schwer wog wie ein geschriebener Vertrag.«

Stürmischer Beifall begleitete Smith, als er nach diesem Schlußsatz lächelnd von der Rampe zurücktrat. Nun war Riel, der Satz für Satz getreulich übersetzt hatte, als Redner an der Reihe. Er hatte die Aufgabe übernommen, der Versammlung einen Vorschlag zu unterbreiten, den er vorher mit Smith ausgehandelt hatte: Es sollten vierzig Delegierte gewählt werden, die der Regierung der Red-River-Republik bei den bevorstehenden Verhandlungen mit Ottawa als Berater zur Seite stehen würden. Zwanzig Mitglieder dieser Kommission sollten dem englischsprechenden Bevölkerungsteil, zwanzig dem französischsprechenden angehören. Riels Einwand, auch die Indianer müßten entsprechend beteiligt werden, lehnte Smith ab. Damit würde Ottawa auf keinen Fall einverstanden sein, weil dadurch seine ganze bisherige Indianer-Politik unterlaufen werde.

Smith bestand auch darauf, diesen Vorschlag der Volksversammlung zur Billigung vorzulegen, obwohl Riel widersprach.

»Meine Metis werden sich heftig widersetzen, ja, vielleicht sogar mit Tumulten darauf reagieren. Auch der Simpelste von ihnen muß doch sofort erkennen, daß wir Metis dadurch benachteiligt werden.«

Als Smith trotzdem darauf beharrte, mit diesem Vorschlag vor die Volksversammlung zu treten, sagte sich Riel: »Gut, wenn er durchaus eine Niederlage und einen Krawall erleben will, soll er Gelegenheit dazu bekommen!« Er bat sich nur aus, daß er selbst den Vorschlag einbringen und erläutern dürfe. Smith gestand ihm das ohne weiteres zu.

Riel war ganz sicher, daß die Versammlung den Vorschlag entrüstet ablehnen würde. Doch er sollte eine unangenehme Überraschung erleben. Als er seine Erläuterung mit dem Satz schloß: »Mr. Smith hat mich wissen lassen, daß Ottawa nur dann zu ernsthaften Verhandlungen bereit ist, wenn wir diese Kommission bilden«, erhob sich nicht etwa stürmischer allgemeiner Widerspruch. In den dünnen Beifall der anwesenden englischsprechenden Siedler mischte sich nur eine einzige Metis-Stimme, die widersprach: »Aber das ist doch ungerecht«, rief sie. »Damit verlieren wir ja die Mehrheit, obwohl wir die stärkste Gruppe im Land sind! Billigt unsere Regierung das etwa?«

Auch dieser Zwischenruf fand keinen Widerhall. Waren die Metis müde? Hatten sie so kalte Füße bekommen, daß sie jetzt nur noch an ein warmes Zimmer dachten? Oder hat der Journalist Hargrave vielleicht recht, wenn er meint: »Smith hatte so zu ihnen gesprochen, wie sie es von den leitenden Männern der HBC seit jeher gewöhnt waren — unkompliziert, väterlich-freundlich, unpolitisch. Der große Mann der HBC wußte aus einer zum Instinkt gewordenen Erfahrung besser als der Metis Riel, wie man das Vertrauen dieses Volkes gewinnen mußte.«

Louis Riel stand für einen Augenblick verwirrt da. Sein Blick schweifte ratlos über die Versammlung hinweg zu den dunkel über der verschneiten Ebene aufragenden

Wällen des Forts Garry, wo die weiße Fahne mit der goldenen Lilie jetzt schlaff am Mast hing. Er hatte diese Flagge geschaffen, um seinem Volk, diesem aus französischem und indianischem Blut entstandenen neuen Volk der Metis, ein Wahrzeichen zu geben, das ihm helfen sollte, eine Nation zu werden. Wie lange würde das Tuch noch über der Prärie wehen?

Diese Frage fiel Riel an wie ein eisiger Windstoß. Er schauderte, und Schwermut griff nach seinem Herzen. Am liebsten hätte er die Hände vors Gesicht geschlagen, um den Tränen freien Lauf zu lassen, die ihm in die Augen schossen. Aber er war hier nicht allein, und hinter ihm wartete Donald Smith lauernd darauf, wie Riel die einsame, aufsässige Frage beantworten würde, die Widerspruch gegen den klugen Plan der Vierziger-Kommission angemeldet hatte.

Hätten die Metis Riel ihre Empörung über die Benachteiligung, die er ihnen aus Gründen politischer Taktik meinte zumuten zu müssen, laut und einstimmig ins Gesicht geschrien, dann hätte er nicht einen Augenblick gezögert, den Plan fallen zu lassen. So aber hob er die Hand, um sich Gehör zu verschaffen, und sagte leise und kalt: »Ja, die Regierung billigt die Wahl einer solchen Kommission — billigt ihn, weil sie den Frieden will.«

Damit wandte er sich ab, um dem Präsidenten der Versammlung das Wort zur Einleitung der Abstimmung zu geben. Er wußte schon jetzt, daß Abstimmung eine überwältigende Mehrheit für den Vorschlag der Vierziger-Kommission ergeben würde. Er wußte aber auch: das Dominion Kanada hatte sich das Ruperts-Land nunmehr endgültig gesichert. Es gab für ihn kein Zurück mehr.

Flucht in der Winternacht

Als sich die Volksversammlung des 19. Januar nach Billigung der Vierziger-Kommission und Verlesung der Wahlvorschläge auf den nächsten Morgen vertagte, kam es zum ersten und einzigen Zwischenfall dieses Tages. Während Riel seinen Gast zum Tor des Forts geleitete, schrie plötzlich ein Anhänger der Kanada-Partei irgendwo in der bereits auseinanderstrebenden Menge: »Gib die Gefangenen frei, Riel!«

Einige seiner Gesinnungsgenossen nahmen den Zuruf auf und brüllten im Chor: »Ja, ja, gib sie frei, Riel, gib sie frei!«

Louis Riel setzte seinen Weg fort, als ob er nichts gehört hätte. Aber die in der Nähe Stehenden konnten erkennen, daß Smith leicht Riels Arm berührte — offenbar mit der Absicht, ihn aufzuhalten. Zugleich beugte er sich ein wenig zu ihm hinüber und sagte etwas. Was, das konnte niemand verstehen. Sie hörten jedoch, daß Riel, den Kopf ärgerlich zurückwerfend, laut und heftig erwiderte: »Nein, nein, jetzt noch nicht! Auf keinen Fall schon jetzt!« Dann eilte er, schnell ausschreitend, dem Tor zu.

Man hat diesen Vorfall später so gedeutet, daß auch Smith in die Forderung nach Freigabe der internierten Teilnehmer des Schultz-Putsches einstimmte. Riel aber habe ihn schroff zurückgewiesen, weil er darin eine unzulässige Einmischung in die inneren Angelegenheiten der Red-River-Republik sah.

Diesmal mochte er sich davon besonders empfindlich getroffen fühlen, weil er soeben eine Niederlage erlitten hatte und es wahrscheinlich für eine weitere Schlappe hielt, falls er nachgab und die Gefangenen frei ließ. Doch man darf wohl als sicher annehmen, daß eine solche Amnestie das Unheil verhütet hätte, das folgte und die ersprießlichen Ergebnisse des Smith-Besuchs fast ganz vernichtete. Sie hätte dem unerbittlichsten Gegner der Metis, dem Dr. John Schultz, wenn nicht ganz, so doch für längere Zeit den Wind aus den Segeln genommen.

Wenn Riel nämlich glaubte, er habe diesen unversöhnlichen Feind durch dessen Gefangennahme unschädlich gemacht, so unterschätzte er die Entschlossenheit des Dr. Schultz, den Kampf gegen die Metis-Republik und deren Gründer bis zur letzten Konsequenz unter Einsatz von Gesundheit und Leben fortzuführen.

Während die Volksversammlung am 20. Januar den »Rat der Vierzig« wählte und dieser Rat sofort in Gegenwart von Donald A. Smith seine Beratungen über ein Grundsatzprogramm zur Schaffung einer neuen — siebenten — Provinz des Dominions Kanada aufnahm, war Dr. John Schultz in seiner kalten Einzelzelle eifrig damit beschäftigt, sich auf die Flucht vorzubereiten.

Weil diese Einzelzellen nicht heizbar waren, hatte der Metis-Fortkommandant Lepine der Frau des Dr. Schultz erlaubt, ihrem Mann einen Büffelfellmantel zu bringen. Dabei gelang es ihr, ihm ein Jagdmesser, einen Pfriem und eine Rolle Hanfschnur zuzustecken. Seitdem erhob sich Schultz Nacht für Nacht, sobald die letzte Kontrolle vorüber war, von seiner Pritsche, breitete den Mantel auf dem Fußboden aus und teilte die dicke Büffelhaut auf ihrer haarlosen Seite durch tiefe Schnitte in schmale lange Streifen auf.

Am Sonntag, dem 23. Januar, war er mit dieser langwierigen und mühsamen Arbeit fertig. An diesem Tag schlug das klare, ruhige Frostwetter der letzten Zeit in einen wütenden Schneesturm um, der zugleich noch mehr Kaltluft heranführte. Schultz sagte sich, dieses Unwetter werde ihm die beste Gelegenheit bieten zu fliehen, denn bei solchem Schneetreiben und dieser bitteren Kälte würden die ohnehin ziemlich dienstunwilligen Metisposten wenig Lust zu verschärfter Wachsamkeit haben, sich vielmehr ein windgeschütztes Plätzchen suchen.

Sobald die letzte Kontrolle seine Zelle passiert hatte, zerschnitt Schultz seinen Mantel endgültig in lange Streifen und flocht diese mit Hilfe der Hanfschnur zu einem Strick zusammen. Dieser war so kurz, daß er sich nicht getraute, ihn an der Pritsche zu befestigen. Deshalb drückte er den Pfriem, den ihm seine Frau beschafft hatte, so tief wie möglich in das Holz des Fensterrahmens und band den Strick daran fest. Dann schob er sich durch das zwar schmale, aber unvergitterte Fenster und ließ sich Hand über Hand in den Hof hinab.

Doch Dr. Schultz war ein großer und schwerer Mann. Der Pfriem hielt solchem Gewicht nicht stand. Als der Flüchtling etwa die Höhe des ersten Stockwerks erreicht hatte, stürzte er ab und fiel mit Wucht auf sein linkes Bein, das unter ihm wegrutschte, als er den Boden berührte.

Eine kurze Weile lag er hilflos im Schnee, rang nach Luft und fluchte leise in sich hinein, um der Schmerzen Herr zu werden, die ihn peinigten. Aber er wußte, er durfte hier nicht liegenbleiben, wenn er nicht erfrieren wollte. Entweder mußte er um Hilfe rufen oder den Schmerz verbeißen und seine Flucht selbst mit einem lahmen Bein fortsetzen.

Behutsam tastete er das verletzte Bein ab und stellte erleichtert fest, daß es wenigstens nicht gebrochen war. Da wagte er es aufzustehen. Das gelang ihm besser als erwartet, wenn auch unter wütenden Schmerzen. Das lahme Bein nachschleppend, überquerte er den Hof und kam an den Palisadenwall. Hier half ihm seine Größe, eine der Schießscharten zu erreichen. Nach einigen vergeblichen Versuchen gelang es ihm, sich hinaufzuziehen, mit dem gesunden Bein in der Scharte Fuß zu fassen und den Oberkörper auf die Wallkrone hinaufzudrücken. Vom Schneetreiben gedeckt, wälzte er sich über die Krone und ließ sich auf der anderen Seite hinunterfallen. Der schneegefüllte Wallgraben fing den Sturz sanft ab.

Humpelnd, halb erfroren und halb blind vom Treibschnee machte sich der Flüchtling auf den Weg nach Kildonan — eine vom Fort etwa sechs Kilometer entfernte, zumeist von Schotten bewohnte Siedlung. Einige Male glaubte er, eine berittene Metis-Patrouille sei ihm auf den Fersen. Dann wühlte er sich schleunigst in eine Schneewehe und wartete frierend und Flüche murmelnd, bis er sich wieder sicher fühlte.

Kurz vor Morgengrauen erspähte er eine Hütte. Er eilte stolpernd und humpelnd auf sie zu, fiel auch mehrere Male der Länge nach in den Schnee und verlor dabei fast die Besinnung. Doch er erreichte die Hütte, bevor es ganz hell wurde. Sein hartnäckiges Klopfen weckte deren Insassen schließlich auf. Das Haus gehörte dem HBC-Angestellten McBeth, einem Schotten.

Als McBeth die Tür öffnete, sank ihm ein Schneemann stöhnend in die Arme. Der Schotte, der mit einer Indianerin verheiratet war, hatte keinen Anlaß, Dr. Schultz besondere Zuneigung entgegenzubringen. Der grimmige Doktor hatte in seiner Zeitung »Nor'wester« solche Ehen mehrmals gehässig angeprangert, »weil sie die Zahl der schändlichen Bastarde noch weiter vermehren«. Aber die im Red-River-Gebiet ansässigen Schotten hielten wie die Metis den guten Brauch der Gastfreundschaft hoch in Ehren. McBeth taute deshalb den Flüchtling auf, gab ihm zu essen und zu trinken und steckte ihn dann in ein gewärmtes Bett. Zwei Tage danach hatte sich Schultz so weit erholt, daß er sich nachts zu einem seiner Gesinnungsgenossen schleichen konnte, der ihn in ein sicheres Versteck brachte.

Louis Riel bekam einen Wutanfall, als ihm die Flucht des Dr. Schultz gemeldet wurde. Gabriel Dumont konnte ihn nur mit Mühe davon zurückhalten, die Wachtposten der Schneesturmnacht vor ein Kriegsgericht zu stellen. Allerdings bekam die gesamte Mannschaft von Gabriel eine grobe Standpauke zu hören und wurde sofort in Kälte und Sturm hinausgejagt, um dem Flüchtling nachzuspüren. Sie bekam Befehl, ihn auf der Stelle niederzuschießen, sobald sie ihn erwischte.

Doch der Schneesturm hatte alle Spuren ausgelöscht, und so blieb Dr. Schultz unauffindbar, obwohl Metis-Kommandos die Heimstätten all seiner Freunde und Anhänger durchsuchten und jeden Schlitten, jeden Reiter auf der Prärie anhielten und gründlich visitierten. McBeth's Haus blieb unbehelligt. Er war ja mit einer Indianerin verheiratet und stand deshalb außer Verdacht.

Erst viele Wochen später kam es heraus, daß Dr. Schultz sich bis zum 21. Februar in Winnipeg hatte verborgen halten können. Dann erst setzte er, noch immer gehbehindert, seine Flucht fort. Ein Metis englischer Abkunft, Josef Monkman, ließ sich als Wegführer von ihm anwerben und geleitete ihn nach Osten, nach Duluth am Oberen See. Die beiden Männer legten diese mehrere hundert Kilometer lange Reise im Hochwinter durch tief verschneite Wälder und über zugefrorene Wasserläufe und Seen teils mit Hundeschlitten, teils auf Indianer-schneeschuhen zurück.

Selbst seine erbittertsten Gegner unter den Metis versagten Dr. Schultz ihren Respekt für diese Leistung nicht. Damit, so meinten sie, habe er sich schließlich doch noch als ein »echter Nordwestmann« ausgewiesen, der seine Stimme auf der Prärie hören lassen dürfe. Jedem anderen als dem Dr. Schultz würde eine solche Anerkennung wohlgetan und ihn vielleicht sogar mit den Metis ausgesöhnt haben. Seinen Haß besänftigte sie jedoch nicht. Obwohl er durch diese Flucht mitten im Winter seine Gesundheit fast ruinierte, gab er keine Ruhe, als er Ontario von Duluth aus erreicht hatte.

Noch immer humpelnd, schleppte er sich von Ort zu Ort und hielt vor Logen und Patrioten-Clubs, in Gastwirtschaften und auf offener Straße Hetz- und Brandreden. Es gelang ihm, eine ganze Provinz mit seinem grenzenlosen, unerbittlichen Haß gegen Riel und die Metis — »diese halbwilden Rebellen am Red River« — wie mit einer bösartigen Krankheit zu infizieren. Er zog seine Zuhörer derart in den Bann seines Hasses, daß sie Geld und Waffen zu sammeln begannen für den Kreuzzug gegen die aufrührerischen »Halbwilden der Prärie«, den er unermüdlich predigte.

Man muß freilich zugeben, daß Dr. Schultz diesen überwältigenden Erfolg nicht hätte erzielen können, wäre nicht durch Ereignisse, die sich nach seiner Flucht am Red River zutrugen, Wasser auf die Mühle dieser aberwitzigen, gnadenlosen Feindseligkeit geschüttet worden.

„Sechzig Männer, brav und tapfer . . ."

Trotz der gelungenen Fluchtversuche von Internierten und trotz Riels Rügen versah die Metis-Besatzung von Fort Garry ihren Wachdienst weiterhin nur lässig. Disziplin und kleinliche Sorgfalt lagen dem besonderen Charakter dieses Volkes nun einmal nicht. Alles, was in Langeweile auszuarten drohte, führte bei ihm unweigerlich zu Gleichgültigkeit und Nachlässigkeit. Anfang Februar wurden einige neuerliche Ausbruchsversuche gerade noch im letzten Augenblick vereitelt, und das auch nur, weil einer der Hunde wachsamer war als die Posten und rechtzeitig anschlug.

Mehr aus Furcht vor erneuter Blamage als aus politischer Klugheit entschloß sich Riel am 11. Februar, eine Amnestie für alle Häftlinge anzukündigen. Falls diese bereit seien, eine Erklärung zu unterschreiben, daß sie nicht von neuem gegen die provisorische Red-River-Republik zu den Waffen greifen würden, sollten sie in wenigen Tagen freigelassen werden.

Doch diese versöhnliche Geste kam genau zwei Tage zu spät. Am 9. Februar hatte sich ein Teil des Freikorps, das Major Boulton in Portage La Prairie aufstellte, gegen den Willen des Kommandanten in Marsch gesetzt, um die in Fort Garry gefangenen Parteifreunde mit Gewalt herauszuholen. Vergeblich suchte Boulton ihnen klarzumachen, daß weder ihre Zahl noch ihre Bewaffnung für einen solchen Überfall ausreichte. Bockbeinig versicherten sie ihm, nichts könne sie davon zurückhalten, »mit dieser feigen Metis-Bande endlich abzurechnen und den dreckigen Bastarden Anstand gegen weiße Männer beizubringen«.

120

Als der Major gleichwohl fortfuhr, sie zu Geduld und Vernunft zu mahnen, schrien sie ihn nieder und stimmten das Lied an, das einer von ihnen kürzlich zusammengereimt und mit einer alten Melodie aus dem Irland-Feldzug der Cromwell-Zeit unterlegt hatte:

>»Sechzig Männer, brav und tapfer,
zogen aus von der Prärie.
Winter war's und Schnee und Eiswind,
alles das war gegen sie.
Doch sie rücken mutig vor,
und so stürmen sie das Fort . . .«

Boulton war darüber so erbost, daß er ihnen erklärte, dies sei Meuterei: »Und deshalb lege ich das Kommando nieder!« Aber damit machte er auf die »sechzig Männer, brav und tapfer« nicht den geringsten Eindruck. Sie lachten ihn aus, umringten ihn, und ihr Sprecher, der unausstehliche Thomas Scott, rief ihm zu: »Das könnte Ihnen so passen, Major! Erst machen Sie uns so viel Feuer unterm Hintern, daß wir's nicht mehr aushalten können, hier länger stillzusitzen, während unsere Freunde im Fort Garry bei Pemmikan und Kaltwasser hocken und von den verdammten Bastarden schikaniert werden. Und jetzt wollen Sie kneifen? Kommt nicht in Frage! Sie gehen mit!«

Boulton fügte sich — wie er später behauptete: weil er es für seine Pflicht hielt und hoffte, »das Schlimmste zu verhüten«. Sie kamen ungehindert bis zum Kirchspiel Kildonan. Hier drangen Scott und Boulton unverzüglich mit vorgehaltener Waffe in das Haus des Metis Henri Coutut ein. Es war bekannt, daß sich Louis Riel gelegentlich für ein paar Tage hierher zurückzog, wenn er allein sein und ausspannen wollte. Die Eindringlinge hofften offenbar, Riel auch jetzt bei Coutut anzutreffen und ihn gefangenzunehmen.

Scott war sehr erbost, als sich diese Hoffnung nicht erfüllte. »Schade«, sagte er, wie Coutut später bekundete, »sehr schade! Ich hätte den großmäuligen Häuptling der Bastarde zu gern mit eigener Hand an seinem Hosenriemen aufgeknüpft.«

Trotz Scotts aufputschenden Hetzreden flaute die Kampflust der »sechzig Männer, brav und tapfer« erheblich ab, als sie von den Siedlern in Kildonan erfuhren, Riel sei längst von ihrem Angriffsplan unterrichtet, und in Fort Garry stehe gewiß alles bereit, um ihnen einen heißen Empfang zu bereiten. Die Siedler rieten ihnen jedoch nicht nur deswegen zu schleunigem Rückzug. Sie fürchteten mit Recht, dieser Putsch könne die Schrecken und Verwüstungen eines Bürgerkriegs am Red River heraufbeschwören — und das ausgerechnet jetzt, wo durch die Vermittlung Donald A. Smith' der Ausgleich mit Ottawa und damit der Frieden als endgültig gesichert gelten durfte.

Boulton, Scott und ihre Feuerfresser ahnten offenbar gar nicht, in welche Gefahr sie sich mit ihrem törichten Winterfeldzug begaben. Riel und Dumont war es nur mühsam gelungen, die Metis-Reiter davon zurückzuhalten, sich auf das Häuflein der »Sechzig Männer, brav und tapfer« zu stürzen und es bis zum letzten Mann zu vernichten. Den Reitern wollte es nicht einleuchten, warum Riel und Dumont ihnen nicht erlaubten, diesen Aufstand blutig niederzuschlagen.

Es gab nicht wenige unter ihnen, die es Riel als Feigheit auslegten, daß er jedes Blutvergießen zu vermeiden suchte. Trotzdem besaß er bei ihnen dank Dumonts Unterstützung noch genügend Autorität, um sie vor einer Unbesonnenheit zu bewahren. Und der Erfolg schien ihm auch diesmal recht zu geben. Späher meldeten ihm, Boulton und Scott träfen Anstalten zum Rückzug. Riel wollte bereits erleichtert aufatmen. Doch da zeigte sich, daß er und sein Volk nicht leichten Kaufs davonkommen sollten. Am Abend des 14. Februar fiel den Wachtposten, die Boulton am Dorfrand von Kildonan aufgestellt hatte, ein halbwüchsiger Metis namens Parisien in die Hände. Der Junge war Mitte Februar von seinem Heimatort nach Fort Garry gewandert, um sich in Riels Reitertruppe aufnehmen zu lassen. Doch deren Kommandant Lepine wies ihn ab, weil ihm Parisien weder körperlich noch geistig geeignet erschien. Der Junge konnte zwar ganz gut mit dem Gewehr umgehen, wie fast alle Metis-Kinder, war aber so gut wie schwachsinnig. Nachdem Parisien einige Wochen lang beim Fort herumgelungert war und sich als Pferdepfleger nützlich gemacht hatte, schickte ihn Lepine nach Hause.

Betrübt trat der Junge den Heimweg an. Unterwegs geriet er zufällig bei Kildonan an Boultons Wachtposten. Sie nahmen ihn fest und mißhandelten ihn böse, weil sie ihn für einen Metis-Spion hielten. Am folgenden Mittag gelang es ihm jedoch zu fliehen. Als er sich davonstahl, sah er an einer Hauswand ein Gewehr lehnen. Das nahm er mit und lief auf den überfrorenen Red River zu. Eine Feldwache entdeckte und verfolgte ihn. Aber da Schneefall einsetzte, entkam er und versteckte sich in einem Weidengestrüpp nahe der Straße von Fort Garry nach Kildonan.

Wenige Minuten, nachdem Parisien sich im Gestrüpp

verkrochen hatte, näherte sich von Fort Garry her ein Reiter: der junge schottische Farmer Hugh Sutherland. Er war tagszuvor mit seinem Vater von Kildonan zum Fort geritten, um im Namen des Kirchspiels Louis Riel zu bitten, er möge Major Boulton in einem Brief ausdrücklich bestätigen, daß für alle internierten Anhänger der Kanada-Partei eine Amnestie vorbereitet sei. Durch eine solche Bestätigung werde sich Boulton nicht nur zum Rückzug, sondern auch zur Auflösung seines Freikorps bewegen lassen.

Riel erfüllte diese Bitte. In seinem Brief hieß es: »In meinen Augen ist Bürgerkrieg das schrecklichste, was man einem Volk antun kann . . . Wir sind zwar willens und imstande, jeden Angriff abzuwehren, gleichzeitig jedoch bereit, uns mit jedem zu verständigen, der Frieden will. Frieden und Recht sind unser Hauptziel. Deshalb haben wir, wie es der Resident der HBC, Mr. McTavish, uns dringend anriet, unsere provisorische Republik gebildet und, dem Vorschlag Mr. Donald Smith' folgend, den »Rat der Vierzig« gewählt, in dem die Repräsentanten aller Bevölkerungsgruppen am Red River gleichberechtigt zusammenarbeiten. Um Frieden und Recht zu bewahren, sind alle Gefangenen amnestiert, sobald sie geschworen haben, Frieden zu halten. Welchen Sinn sollte es daher haben, jetzt noch in Waffen vor Fort Garry aufzumarschieren?«

Sobald Vater Sutherland diesen Brief in den Händen hatte, schickte er seinen Sohn Hugh damit nach Kildonan, um Boulton zu veranlassen, sich sofort zurückzuziehen und jede weitere militärische Aktion zu unterlassen.

Hugh Sutherland ließ sein Pferd traben, so schnell das tief verschneite Gelände und das erneut einsetzende

124

Schneetreiben es ihm erlaubten. Parisien, der verstört in seinem Versteck hockte, hörte die Hufschläge und das Knirschen des Sattelzeugs näher kommen. Im dichten Schneegestöber konnte er nicht erkennen, woher der Reiter kam. Er glaubte, seine Verfolger näherten sich wieder. Als Sutherland dann einer hohen Schneewehe ausweichen mußte, kam er ganz nahe an Parisiens Versteck heran. Da hielt sich der Junge für unmittelbar bedroht, hob das Gewehr und feuerte blindlings auf den Reiter, den er nur als dunklen Schatten hinter dem Vorhang der wirbelnden Schneeflocken erkennen konnte.

Die Kugel traf Sutherland in die Brust. Er sank vornüber auf den Hals seines Pferdes, das erschrocken wiehernd in Richtung Kildonan davongaloppierte. Erst der Knall des Schusses und das Wiehern des Pferdes wiesen Parisiens Verfolgern den Weg zum Versteck des Jungen. Während zwei von ihnen das Pferd anhielten und den Schwerverwundeten aus dem Sattel hoben, durchkämmten die anderen das Weidengestrüpp.

Sie fanden Parisien bald, zerrten den angstvoll Jammernden heraus, der sich gar nicht zu wehren suchte. Und obwohl der sterbende Sutherland sie mit letzter Kraft bat: »Tut ihm nichts, er hat ja nur vor lauter Angst losgefeuert«, spaltete ihm einer mit einem Beil den Schädel. Dann fesselten sie ihn zu allem Überfluß und schleppten den Verblutenden an den Beinen wie einen erschlagenen Wolf hinter sich her ins Dorf.

Boulton erfaßte als erster, welche Folgen es haben mußte, daß durch diesen Zwischenfall die ersten Todesopfer der sogenannten »Rebellion am Red River« zu beklagen waren. Er sagte sich, die Metis würden sich jetzt nicht länger davon zurückhalten lassen, gegen seine Truppe vorzugehen. Er beschwor seine Leute, die Waffen niederzulegen und sich einzeln oder in kleinen Gruppen unauffällig nach Westen abzusetzen.

Aber nur wenige befolgten den Rat. Die anderen ließen sich von Thomas Scott dazu aufhetzen, weiter auf Fort Garry zu marschieren, »um so viele Bastarde wie möglich zur Hölle zu schicken«.

Am Morgen des 18. Februar setzten sich achtundvierzig Mann in Marsch. Gegen seine bessere Einsicht begleitete sie Major Boulton auch jetzt noch: »Um das Ärgste zu verhindern«, wie er später behauptete. Wahrscheinlich traf dies zu; doch geglaubt wurde es ihm nicht mehr.

Sie kamen nicht weit, hatten jedoch das Glück, daß sie von einer Abteilung Metis-Kavallerie gestellt wurden, die unter dem Kommando Lepines stand. Dieser hielt sich an Riels Befehl, auch diese Aktion möglichst ohne Blutvergießen durchzuführen. Als Boultons »Männer, brav und tapfer« erkannten, daß sie in einem dichtgeschlossenen Kessel eingekreist waren und erwarten mußten, wie Hasen zusammengeschossen zu werden, wurden sie endlich nüchtern und streckten kampflos die Waffen. So fiel Thomas Scott zum zweitenmal als Gefangener in Louis Riels Hand.

Doch nicht Scott, sondern Boulton stand als Hauptangeklagter vor dem Metis-Standgericht, das schon am nächsten Tag zusammentrat, denn der Major nahm tapfer die ganze Verantwortung für alles auf sich, was während des »Portage-La-Prairie-Putsches« geschehen war. Er versuchte auch nicht, sich zu entlasten, als Riel, der als Ankläger fungierte, für ihn die Todesstrafe forderte. Das Urteil lautete antragsgemäß: Tod durch Erschießen.

Als dieses zweifellos harte, aber nach Lage der Dinge

durchaus gerechtfertigte Urteil bekannt wurde, entstand bei den englischsprechenden Siedlern heftige Unruhe. Ihre Delegierten im »Rat der Vierzig« erklärten es für einen »Akt purer, gottloser Rachsucht« und verweigerten die weitere Mitarbeit, falls das Urteil nicht revidiert würde. Andere sahen ein, daß Riel in diesem Fall das Recht auf seiner Seite hatte. Sie beeilten sich, um Gnade für Boulton zu bitten, »weil er immerhin nichts unversucht gelassen habe, seine unbändige Truppe vom Blutvergießen zurückzuhalten«. Als sie damit keinen Erfolg hatten, verfielen sie auf den Gedanken, Mrs. Sutherland, die Mutter des von Parisien erschossenen jungen Farmers, zu Riel zu schicken.

Mrs. Sutherland ließ sich am Morgen des Tages, an dem das Urteil an Boulton vollstreckt werden sollte, bei Riel melden. »Sie wissen, Herr Präsident, daß meine ganze Familie diesen unseligen und törichten Putsch verabscheut«, sagte sie. »Ich glaube, das gibt mir ein Recht, Sie inständig zu bitten: Sorgen Sie dafür, daß er nicht noch mehr Blutopfer fordert!«

»Nein, Mrs. Sutherland«, erwiderte Riel hart. »Boulton muß um zwölf Uhr sterben! Er trägt nicht nur die Verantwortung für den Tod Ihres Sohnes und für den Tod Parisiens, er hat auch bedenkenlos mit dem Leben aller anderen Mitbürger unserer Red-River-Republik gespielt. Er muß jetzt die Strafe für diese Ruchlosigkeit erleiden, die kein geordnetes Gemeinwesen und keine Regierung hinnehmen kann, sofern sie Wert auf Selbstachtung und auf die Wohlfahrt ihrer Bürger legt.«

Da fiel Mrs. Sutherland vor Riel auf die Knie und wiederholte ihre Bitte noch eindringlicher mit dem Zusatz: »Und wenn Sie nicht auf mich hören wollen, Herr Präsident, so fragen Sie Ihre Mutter! Ich bin überzeugt, sie wird nicht wollen, daß auf Ihren Sohn auch nur der Schatten des Verdachts grausamer Rachsucht fällt.«

Louis Riel, der sich selbst gern in melodramatischen Gesten gefiel, war tief bewegt. Daß eine Frau — und noch dazu eine weiße Frau! — vor ihm einen Kniefall tat, hätte er nie für möglich gehalten. Er bedeckte sein Gesicht mit den Händen und verharrte eine Weile stumm.

Endlich war er mit sich ins reine gekommen, half Mrs. Sutherland höflich wieder auf die Füße und sagte spürbar erschüttert, mit schwankender Stimme und feuchten Augen: »Madame, Ihre noble Selbstüberwindung hat diesen Übeltäter gerettet. Ich schenke Ihnen Boultons Leben.«

Die ganze Prärie stand in Flammen

Diese Anekdote ist jedoch nur eine Version des Gnadenaktes. Die andere besagt, Riel sei von Mrs. Sutherlands Besuch zwar sehr bewegt worden, aber das eigentliche Verdienst an der Begnadigung Boultons komme Donald A. Smith zu, der am 20. Februar in aller Frühe bei Riel vorstellig wurde.

Smith war es inzwischen immer klarer geworden, welcher Ehrgeiz den jungen Metis-Führer antrieb: Riel wollte vor allem als Politiker Erfolg haben — um seinem Volk zu dienen, aber auch und ganz gewiß nicht zuletzt, um sich selbst Geltung zu verschaffen und dadurch die Mißerfolge seiner Jugend auszugleichen. Deshalb war Riel — das hatte Smith durchschaut — politisch-taktischen Erwägungen zugänglicher, als man ihm gemeinhin zutraute. Er besaß so viel Machthunger und auch so viel Eitelkeit, wie ein Politiker haben muß, der Erfolg haben will — Erfolg in der Sache, die er zu der seinen gemacht hat; Erfolg aber auch, um sein Selbstgefühl zu befriedigen.

Von dieser Erkenntnis ging Smith aus, als er Louis Riel am frühen Morgen des Hinrichtungstags aufsuchte, um die Begnadigung Boultons zu erwirken.

»Herr Präsident«, begann er, »es kann Ihnen nicht verborgen geblieben sein, daß die Vollstreckung dieses Urteils eine Kluft in der Red-River-Bevölkerung wieder aufreißen muß, die sich dank Ihrer Mäßigung gerade erst geschlossen hat. Meinen Sie nicht auch, daß es dem törichten Putschversuch nicht erlaubt werden sollte, die vielversprechende Arbeit Ihrer provisorischen Regierung und des Rates der Vierzig zu gefährden? Sollten wir nicht gemeinsam nach Mitteln und Wegen suchen, dieser Gefahr entgegenzuwirken?«

Riel horchte auf. Er spürte, Smith war bereit, einen Preis für den Kopf Boultons zu zahlen, sofern der Präsident der Red-River-Republik Gnade walten ließ.

»Es freut mich, von Ihnen bestätigt zu finden, daß nicht ich aus Rachsucht diese Gefahr herbeigeführt habe, wie behauptet wird, sondern daß allein Boulton die Schuld trägt«, erwiderte Riel tastend. »Ich habe bisher alle Gnadengesuche abgelehnt, weil man offensichtlich von mir erwartet, ich hätte sozusagen die Pflicht, zu Kreuze zu kriechen, da es sich um einen Kanadier, einen Weißen, handelt. Hätte ein Indianer oder ein Metis sich in einen solchen Putsch verstrickt, würde man wohl kaum auch nur ein Wort zu seinen Gunsten verschwenden. Sie, Mr. Smith, sind von solchen Vorurteilen frei. Sie haben andere, weniger vom Gefühl geleitete Motive für Ihr Gnadengesuch. Wenn ich Ihnen nun Boultons Leben schenke, was darf ich als Gegengabe von Ihnen erwarten?«

»Sie dürfen von mir alles verlangen, was ein ehrenhafter Mann zugestehen kann.«

»Sehr gut«, sagte Riel erfreut. »Die Anhänger der Kanada-Partei und die Regierung in Ottawa selbst haben bisher alles getan, um hier am Red River Unfrieden zu säen. Diese Unheilssaat ist aufgegangen, wie der Fall Boulton aufs neue beweist. Sie, Mr. Smith, haben sich nicht gescheut, uns beim Ausjäten dieses giftigen Unkrauts tatkräftig zu helfen. Würden Sie Ihr Ansehen jetzt noch einmal in die Waagschale werfen, um das nicht durch meine Schuld wieder aufkeimende Mißtrauen zu zerstreuen? Sie wissen, wo die Urheber der Zwietracht hier zu suchen sind. Wirken Sie auf diese Leute ein! Sonst haben wir in Kürze einen blutigen Bürgerkrieg. Die Geduld meiner Metis ist fast erschöpft, und ich kann es ihnen nicht einmal verdenken, daß sie sich nicht mehr lange zurückhalten lassen wollen. Geben Sie mir Ihr Wort, daß Sie die englischsprechenden Mitglieder des Rates der Vierzig zu weiterer loyaler Mitarbeit bewegen werden. Dann schenke ich Ihnen Boultons Leben.«

»Ich werde alle selbst aufsuchen und schon heute damit beginnen«, versprach Smith erleichtert. »Und ich werde auch diejenigen Ihrer Gegner, die sich grollend abseits halten, demnächst besuchen und sie zur Vernunft mahnen.«

Bald nachdem Smith Riel verlassen hatte, erschien Mrs. Sutherland zu ihrem Bittgang. Wenig später überbrachte Riel selbst dem Major die Nachricht, er sei nicht nur begnadigt, sondern dürfe das Fort als freier Mann verlassen. Er müsse sich nur bereit erklären, das Red-River-Gebiet innerhalb der nächsten acht Tage den Rücken zu kehren.

»Doch auch das kann ich Ihnen ersparen, wenn Sie auf einen Vorschlag eingehen, den ich Ihnen machen möchte«, eröffnete Riel dem überraschten Offizier. »Sie waren bisher offenbar der Meinung, es sei Ihre patriotische Pflicht, unserer Republik mit Feindschaft zu begegnen. Das Verhalten der Herren Minister in Ottawa und Ihrer Freunde hierzulande hat Sie darin bestärkt. Inzwischen dürfte Ihnen durch die Mission des Mr. Smith gewiß klargeworden sein, daß man in Ottawa allmählich zu besserer Einsicht kommt und daß die Verbohrtheit von Männern wie Dr. Schultz nur zu den Greueln eines Bürgerkriegs führen kann. Sie haben sich bei diesem unseligen Putschversuch um Mäßigung bemüht. Das zeigt mir, daß Sie ein besonnener und verantwortungsbewußter Mann sind. Ein solcher Mann fehlt unseren englischsprechenden Mitbürgern als Führer. Wollen Sie nicht im Lande bleiben und als Sprecher Ihrer Landsleute daran mitwirken, daß es zu einem gerechten und befriedigenden Ausgleich zwischen den Bevölkerungsgruppen und mit dem Dominion kommt?«

Was mag sich Riel bei diesem Angebot gedacht haben? Sollte es nur eine rhetorische Geste der Versöhnlichkeit sein? War es als taktischer Schachzug gedacht, der die Versöhnungsbemühungen Smith' unterstützen sollte? Oder glaubte er allen Ernstes, er könne den Major durch eine so dick aufgetragene Schmeichelei für sich gewinnen?

Es konnte Riel doch eigentlich nicht entgangen sein, daß Boulton nur ein mittelmäßiger Soldat war und als

Mensch wie als Politiker von Vorurteilen und Phantasielosigkeit beschränkt. Für eine politische Rolle, wie sie
ihm Riel zuspielen wollte, war Boulton jedenfalls denk-
bar ungeeignet. Das zeigte denn auch die Antwort, die er
Riel gab, nachdem er sich von seiner Überraschung erholt
hatte.

»Sir, ich will's mir überlegen. Aber ich könnte auf diesen
Vorschlag nur eingehen, wenn Sie alle freigeben, die mit
mir in Gefangenschaft gerieten«, sagte er steif, und seine
Taktlosigkeit wurde ihm offenbar gar nicht bewußt, als
er fortfuhr: »Ich und meine Leute, wir haben ja nichts
Unrechtes getan. Sie sind mir nur gefolgt, weil ich den
Befehl ausführte, den ich von Ottawa erhielt: Dieses
halbwilde Volk hier zu bändigen. Aber man hat uns dafür wie Straßenräuber behandelt, in Ketten gelegt und
schikaniert.«

Daß Louis Riel auf diese arrogante Antwort nicht mit
einem Zornesausbruch reagierte, ist verwunderlich. »Er
verließ mich wortlos«, berichtete Boulton später. »Eine
halbe Stunde danach kam sein Adjutant Baptiste Delorme zu mir. Ich dachte, er wolle mir den Becher Rum
bringen, den ich mir zuvor ausgebeten hatte, um mich zu
erwärmen, ehe ich vor das Erschießungskommando trat;
denn ich war in der eisigen Zelle bis ins Mark durch-
froren und wollte nicht vor Kälte zitternd vor dem Pelo-
ton stehen. Man hätte ja sonst denken können, ich hätte
Angst. Aber Delorme kam nur, um mir die Ketten abzu-
nehmen und mir zu sagen, der Präsident habe nicht nur
meine Entlassung verfügt, sondern auch Erleichterungen
für meine Mitgefangenen angeordnet.«

Louis Riel hatte sich durch diesen Akt der Selbstüberwindung aufs neue einen Triumph gesichert. Die Krise,

die der Portage-La-Prairie-Putsch heraufbeschwor, hatte durch seine Mäßigung eine für ihn und das Land vorteilhafte Wendung genommen. Aber dieser unsinnige Angriff aus dem Hinterhalt und die Abwehr der daraus erwachsenden Gefahren überforderten seine Kräfte. Wahrscheinlich erfaßte nur er allein ganz, wie groß diese Gefahren waren und daß sie nicht nur von den Gegnern des Metis-Regimes drohten, sondern ebenso stark aus den Reihen der Metis selbst erwuchsen.

Es war jetzt allmählich so weit gekommen, daß viele seiner Anhänger ihn schon allein deshalb, weil er kein Mann des Krieges war und ihrer Rauflust immer wieder Zügel anlegte, für einen Feigling hielten. Noch munkelte man nur hier und dort davon, ihm die Gefolgschaft aufzukündigen. Aber er spürte den Tag kommen, wo er sie nicht mehr bändigen konnte und der Bürgerkrieg, den er jetzt noch einmal mit knapper Not hatte abwenden können, doch noch losbrach — diesmal aber zu ihrem Verderben von denen entfesselt, die er zu Freiheit und Gleichberechtigung führen wollte.

Eine vom Jägerleben gehärtete Natur wie Gabriel Dumont vermochte solche Spannungen auszuhalten, und die von langen Lebensjahren ausgebildete Geduld kam ihm dabei zu Hilfe. Louis Riel jedoch war keine Jägernatur und zudem noch viel zu jung und unerfahren für die Aufgabe, die er sich gestellt hatte. Und er war einsam, viel einsamer, als seine Umwelt ahnte und er selbst sich und anderen eingestehen mochte. Im Grunde besaß er nur einen einzigen Menschen, dem er seine Ängste und Bedrängnisse rückhaltlos anvertrauen und auf dessen Verschwiegenheit er sich verlassen konnte: seinen Beichtvater Père Lestanc, den Gemeindepfarrer von St. Norbert.

Lestanc wunderte sich deshalb kaum, als er am 25. Februar von Riels Freund Coutut nach Kildonan gerufen wurde, »um dem Herrn Präsidenten das Sakrament zu spenden«. Auf der Schlittenfahrt nach Kildonan erfuhr der Pfarrer, Riel sei während eines kurzen Besuchs im Hause seines Freundes schwer erkrankt — »am Gehirnfieber«, wie es in Lestancs Aufzeichnungen heißt.

Wahrscheinlich handelte es sich um einen mehr seelisch als körperlich bedingten Migräne-Anfall, der mehrere Tage dauerte. Dieser Anfall war wohl unterschwellig bereits durch die voraufgegangene geistige und moralische Anspannung vorbereitet, kam jedoch jetzt durch die erste der Visionen zum Ausbruch, von denen Riel von da an immer häufiger heimgesucht wurde.

Es hat nicht an Versuchen gefehlt, diese Visionen als Wahngebilde eines zumindest zeitweise Geistesgestörten oder gar als zweckbedingte melodramatische Selbstinszenierungen der überreizten Phantasie eines hemmungslosen Egozentrikers abzutun. Das alles mag untergründig mitspielen. Weil wir aber für einige dieser Visionen glaubwürdige Zeugen haben, denen nichts daran liegen konnte, Riel nach dem Mund zu reden oder ihn zu verherrlichen, müssen wir die Gesichte wohl oder übel als Tatsache anerkennen und sie als das gelten lassen, was Riel selbst in ihnen sah: sowohl als Auszeichnung und wegweisendes Gottesgeschenk als auch als eine Tortur, die sein Leben qualvoll verdüsterte.

Für die erste dieser Visionen haben wir Père Lestanc als Zeugen. Er berichtet: »Als ich an das Bett des Kranken trat und ihn fragte, wie es denn nach seiner Meinung zum Ausbruch dieser furchtbaren Kopfschmerzen gekommen sei, von denen er sich bis zum Sterben gepeinigt

fühlte, antwortete er: Ich habe ein Gesicht gehabt, Hochwürden.

Ein Gesicht, gab ich betroffen und ungläubig erstaunt zurück. Sie meinen wohl: einen Traum?

Nein, ein Gesicht, erwiderte er bestimmt. Als ich am
letzten Sonnabend wie gewohnt zur Nacht betete und
Gott dabei bat, mich zu erleuchten, wie ich mit den Gefangenen des Portage-La-Prairie-Putsches nach Boultons
Freilassung verfahren solle, fühlte ich plötzlich, wie mein
ganzer Körper erstarrte. Zugleich vernahm ich einen wilden heiseren Schrei. Er hörte sich an wie der Schrei eines
Tieres, das sich in Todesnot getrieben sieht und gegen
diese Bedrohung voll Angst trotzig und doch schon ver-
zweifelnd aufbegehrt. Während dieser entsetzliche Schrei
noch in meinem Ohr haftete, sah ich vor mir ein bleiches
Schneefeld und mitten darin einen blutroten, zackigen
Fleck. Ich starrte auf diesen Fleck, und während mein
Blick wie gebannt an ihm hing, begann er sich plötzlich
wie ein sturmgepeitschtes Präriefeuer in rasender Eile
nach allen Seiten auszubreiten. Die ganze endlose Weite
der verschneiten Prärie war in Flammen gehüllt, und
über dem Flammenmeer geisterte wie hundertstimmiges
angstvolles Kreischen gejagter Vögel jener furchtbare
Schrei — weiter und weiter in das Dunkel hinaus, das die
Flammen vor meinen Augen wie ein Abgrund verschlang. Der Schrei hallte mir noch im Ohr nach, als die
Starre endlich wich, die meinen Körper gefesselt hielt.
Zitternd vor Grauen wankte ich zu meinem Bett und ver-
sank, kaum daß ich ausgestreckt lag, in Schlaf. Erst gegen
Morgen weckten mich rasende Kopfschmerzen aus der
ohnmachtartigen Betäubung dieses tiefen Schlafes.«

Père Lestanc nahm Riels Bericht zur Kenntnis ohne den

Versuch, ihn zu erklären oder ihn Riel als ein bloßes Hirngespinst hinzustellen. Aber da er sein Beichtkind seit dessen Kindertagen kannte und als ein rechter Landpfarrer praktisch dachte, verordnete er ihm das einzige Heilmittel, das hier nach seiner Meinung helfen konnte: Er ließ Riels Mutter an das Krankenbett holen.

Wie sie es getan, wenn Louis als Kind krank war, setzte sich seine Mutter zu ihm ans Bett, kühlte ihm die Stirn, kochte ihm ein Krankensüppchen und gab ihm ohne viele Worte das Gefühl, geborgen und den Gefahren, die seine Seele bedrängten, entrückt zu sein. So stolz Marie Riel gerade auf diesen Sohn war, für sie blieb er doch zeitlebens dasjenige ihrer Kinder, das zarter Fürsorge am meisten bedurfte.

Daß solche Fürsorge als Tröstung und Schutz für ihn noch immer erreichbar blieb, solange seine Mutter lebte, genügte zumindest diesmal, Louis Riel innerhalb weniger Tage wieder ins Gleichgewicht zu bringen. Am letzten Februartag kehrte er nach Fort Garry zurück.

Wie ein Schlag ins Gesicht

Riel brachte von seinem Krankenlager den Entschluß mit, nun auch die letzten Gefangenen des Portage-La-Prairie-Putsches auf freien Fuß zu setzen. Allerdings nicht bedingungslos: Auch sie sollten, wie die Teilnehmer des Schultz-Zwischenfalls, eine eidesstattliche Erklärung unterschreiben, daß sie in Zukunft Frieden halten würden. Außerdem sollten diejenigen unter ihnen, die im Red-River-Gebiet weder Verwandte noch festen Wohnsitz

nachweisen konnten, sich verpflichten, das Land binnen
48 Stunden zu verlassen.

Sobald Riel seine Amtsgeschäfte wieder aufgenommen
hatte, ließ er das Schriftstück ausfertigen. Es wurde den
Gefangenen am 1. März vorgelesen und sollte dann im
Laufe des Tages zur Unterschrift bei ihnen herumgereicht
werden. Riel rechnete fest damit, daß sich alle bereit finden würden, auf diese Weise ihre Freiheit zurückzuer-
langen. Er übersah bei dieser zuversichtlichen Rechnung,
daß er unter den Gefangenen einen unversöhnlichen persönlichen Feind hatte — Thomas Scott — und daß gerade
dieser Mann den stärksten Einfluß auf seine Mithäftlinge
ausübte. Ihren eigentlichen Anführer Boulton hatten
diese »Männer, brav und tapfer« als Feigling und Über-
läufer abgeschrieben, weil er ihnen Vernunft gepredigt
hatte.

Thomas Scott hingegen, der im Grunde nur ein ver-
hetzter engstirniger Raufbold war, galt bei ihnen als ein
mutiger Soldat, von dem sie sich willig führen ließen.

Dieser 1. März 1870 war ein ungewöhnlich ruhiger Tag
in Fort Garry — so still und ruhig, daß nach Einbruch
der Dunkelheit außer dem eintönigen Sausen des Win-
terwindes kein Laut im Festungsbereich zu vernehmen
war. Stille und Dunkel umschlossen die Gebäudegruppe
hinter den Wällen so dicht, daß es Louis Riel vorkam,
als ob er im kleinen Lichtkreis der Petroleumlampe seines
Schreibtisches wie auf einen fernen Stern entrückt sei —
so weit entrückt, daß all das wirre Getriebe, das sich aus
den vor ihm aufgehäuften Aktenstücken unerbittlich for-
dernd an ihn herandrängte, so wesenlos und schemen-
haft wurde wie Schatten eines Schattenspiels.

Ihm wurde so leicht und frei zumute wie schon lange

nicht mehr. Als es an seine Tür klopfte, hob er unwillkürlich abwehrend die Hand. Er brauchte nur einen Augenblick, um in die Wirklichkeit zurückzufinden. Doch in seiner Stimme klang Unwillen über die unerwünschte Störung noch nach, als er laut antwortete: »Ja, was gibt's denn?«

»Ach, ich bin's nur — Baptiste. Ich bringe Ihnen das Abendessen.« Damit öffnete der junge Baptiste Delorme, der Riel als Leibwächter, Adjutant und Meldegänger diente, die Tür. Er balancierte ein Teebrett zu dem niedrigen Tischchen neben dem Kamin und richtete schweigend das Gedeck: eine Kanne Tee, einen Becher, ein paar Scheiben Brot und kaltes Fleisch auf Holztellern. Das war wie jeden Tag das Abendessen für den Präsidenten der Red-River-Republik.

Riel erhob sich. »Gibt's etwas Neues«, fragte er dabei gewohnheitsgemäß.

»Neues? Eigentlich nicht«, erwiderte Baptiste achselzukkend. »Drüben im Gefängnisbau hat es wieder einmal Ärger gegeben. Lepine sagte mir, Thomas Scott habe versucht, eine Meuterei anzuzetteln. Der Kerl wurde so aufsässig, daß Lepine nichts anderes übrigblieb, als ihn wieder in Einzelhaft zu stecken.«

Riels Gesicht verfinsterte sich. »Man hat sich dabei hoffentlich an meine Anordnung gehalten, nicht unnötig Gewalt anzuwenden«, fragte er scharf.

Wieder zuckte Baptiste die Achseln: »Ich glaube, Lepine hätte ihn am liebsten umgebracht. Aber ein paar blaue Flecke von Kolbenstößen wird sich Scott wohl eingehandelt haben. Sie konnten ihn ja nur zu viert bändigen.

Kann man's unseren Leuten verdenken, daß sie grob werden«, fuhr Baptiste ungefragt fort. »Dieser wüste

Kerl legt es ja geradezu darauf an, sie durch unflätige Beschimpfungen bis aufs Blut zu reizen. Heute muß er's wohl besonders arg getrieben haben. Es ging um die Unterschrift unter die eidesstattliche Erklärung. Die meisten Gefangenen waren anfangs dafür, sie zu unterschreiben. Aber dann hat Scott dagegen gehetzt. Ich denke, er hat seinen Kumpanen beweisen wollen, was für ein Kerl er ist, und deshalb ist er gegen unsere Leute noch ausfälliger geworden als sonst. Daß er wieder isoliert wurde, kam ihm und seinen Spießgesellen wohl recht gelegen. Sie haben Lepine erklärt, sie würden nicht unterschreiben, solange Scott in Einzelhaft bleibt. Aber ich bin überzeugt, wenn er wieder unter ihnen ist, wird er sie so aufhetzen und einschüchtern, daß sie dann erst recht nicht unterschreiben.«

Riel setzte den Becher ab, den er gerade zum Mund führte, und stand abrupt auf. »Bring mir meinen Mantel, Baptiste«, befahl er. »Ich werde hinübergehen und versuchen, Scott zur Vernunft zu bringen.«

»Aber bitte, gehen Sie nicht allein zu ihm in die Zelle«, bat Baptiste erschrocken. »Dieser Kerl ist zu allem fähig. Sie wissen, er hat Sie schon einmal mit den Fäusten angegriffen! Und als er und Boulton in Kildonan Coututs Haus durchsuchten, hat er mehrmals gesagt, er wird Sie umbringen, sobald er Sie erwischt.«

Riel schüttelte abweisend den Kopf. Er ließ sich auch von André Nault, der an diesem Abend die Wache hatte, nicht davon zurückhalten, Scotts Zelle allein und waffenlos zu betreten.

Was Baptiste und Nault befürchteten, geschah denn auch sofort, nachdem sich die Zellentür hinter Riel geschlossen hatte. Noch ehe Riel den Mund öffnen und aussprechen konnte, was er Scott sagen wollte, sprang ihn dieser blindwütig an und schlug mit den Fäusten auf ihn ein.

»Du Hundesohn, du dreckiger Bastard«, kreischte er dabei. »Ich bringe dich um!«

Delorme und Nault stürzten herein, rissen den Rasenden von dem schmächtigen Riel zurück und hielten ihn fest. Doch Riel wollte trotz dieses Angriffs seinen Versuch noch nicht aufgeben, diesen fanatischen Gegner zur Vernunft zu bringen. Leichenblaß und schwer atmend kämpfte er den Schrecken nieder, den ihm die Fäuste des irischen Wüterichs eingejagt hatten.

»Hören Sie, Scott«, sagte er so ruhig wie möglich. »Ich hoffte und hoffe immer noch, auch Sie werden zur Einsicht kommen und endlich aufhören, uns Schwierigkeiten zu machen. Geben Sie den nutzlosen Widerstand endlich auf! Benehmen Sie sich, wie es sich unter gesittteten Menschen gehört! Sie wissen, ich will Ihnen und Ihren Mitgefangenen die Freiheit zurückgeben. Als Gegenleistung für diese Amnestie verlange ich von Ihnen nur dies, daß Sie sich verpflichten, die Red-River-Republik zu verlassen. Ich will Frieden in diesem Land — Frieden, Freiheit und Gerechtigkeit für alle seine Bewohner. Sie aber haben sich als Friedensstörer erwiesen. Deshalb können wir Sie nicht länger im Lande dulden.

Das sage ich Ihnen als Präsident der Red-River-Republik. Doch nun lassen Sie mich als Mensch zu Mensch und als Christ zu Ihnen sprechen, und ich sage Ihnen: Ich bin bereit, jede Beleidigung zu verzeihen, die Sie mir und meinem Volk jemals zugefügt haben. Aber hören Sie nun auch auf, uns durch Beschimpfungen immer wieder herauszufordern.«

»Für mich bleibst du wie das ganze Gesindel, das dir wie

einem Rattenfänger nachläuft, ein dreckiger Bastard und ein schmutziger, verlogener Papist«, schrie ihm Scott als Antwort zu. »Und das werde ich jedem von euch überall und jederzeit ins Gesicht sagen. Du Hundesohn wärest der letzte, von dem ich meine Freiheit als Geschenk annehmen würde.«

»Nun gut, Scott, ich sehe, wir können Ihnen Gerechtigkeit nur in einer einzigen Form begreiflich machen — durch Gericht und Urteilsspruch. Sie wollen es so, und so sollen Sie es auch bekommen.«

Scott lachte höhnisch auf: »Gericht und Urteilsspruch? Willst du genau wissen, du Lumpenpräsident, was ich von eurem Gericht halte? Das!« Und damit spuckte er mit Nachdruck aus. Die ganze Ladung seines von Kautabak bräunlich verfärbten Speichels traf Riels rechten Fuß und blieb an der Spitze des Mokassins haften.

Riels Gesicht rötete sich jäh und verzerrte sich zuckend. Seine Hände ballten sich zur Faust. Doch er zwang seinen Zorn mit aller Willenskraft so schnell nieder, daß nur Baptiste Delormes kundiger Blick ihn bemerkte. Er allein nahm auch wahr, daß Riel schwankte, als er sich nun umdrehte und ohne ein weiteres Wort die Zelle wieder verließ. Der Tumult, der sich dort hinter ihm erhob, weil André Nault Scott mitleidlos verprügelte, erreichte Riels Ohr nicht mehr. Wie ein Traumwandler überquerte er den verschneiten Hof und kehrte in den engen Lichtkreis der Lampe seines Arbeitstisches zurück.

Hier ließ er sich in den Sessel sinken, das einzige bequeme Möbelstück dieses sonst ganz spartanischen Raums. Vergebens bemühte er sich, seine Gedanken zu sammeln und von der häßlichen Szene loszureißen, die er soeben erlebt hatte. Immer wieder redete er sich zu: Auch wenn du dies niemals wirst vergessen können, du mußt dich überwinden, es zu vergeben! Mußt es vergeben als Christ, der dem Gebot des Erlösers gehorcht: So dich jemand auf die rechte Wange schlägt, biete ihm auch noch die linke dar. Mußt es aber auch und vor allem vergeben als der gewählte Anführer deines Volkes, selbst wenn es, in seinem empfindlichen Stolz getroffen, deinen Entschluß zu Nachsicht und Milde nicht gleich verstehen wird. Klugheit befiehlt hier, großmütig zu sein. Gekränkter Stolz und Rachsucht, so berechtigt sie auch erscheinen mögen, würden mit Sicherheit die Rache der Feinde heraufbeschwören, die uns hier im Lande und von jenseits der Grenzen bedrohen.

Er hörte sie schon höhnen: »Da seht ihr's wieder, wie sie wirklich sind, die Metis am Red River: blutdürstige Barbaren und nicht eine zivilisierte Nation . . .« Wenn er, Louis Riel, Präsident der Metis-Republik, jetzt nicht die Kraft zur Vergebung aufbrachte, würde alles ins Wanken kommen, was er so mühsam aufgebaut hatte.

So quälte er sich stundenlang. Mehrmals war er dem befreienden Entschluß nahe, anderntags zu tun, was er sich schon vor dem Zwischenfall mit Thomas Scott als Ausweg vorbehalten hatte: die Gefangenen des Portage-La-Prairie-Putsches über die Grenze abzuschieben, auch wenn sie die Unterschrift nicht leisteten.

Doch immer, wenn er sich erheben wollte, um an den Schreibtisch zu gehen und einen entsprechenden Befehl auszufertigen, fiel sein Blick wie unter einem magischen Zwang auf den bräunlich eintrocknenden Speichelfleck am Leder seines rechten Mokassins. Und immer wieder begann sein Gesicht zu brennen wie nach einem Schlag, einer tödlich beleidigenden, absichtlichen Beschimpfung, die nicht nur ihm allein, sondern seinem ganzen Volk angetan wurde.

Nein, seine Landsleute würden es nie verstehen und verzeihen, wenn er diese ungeheuerliche Beleidigung hinnahm, als ob sie nichts bedeutete — nichts für ihn, nichts für seine Metis. Sie hatten genug Schläge dieser Art einstecken müssen und hatten es satt, gedemütigt zu werden. »Sind wir denn Hunde, die man ungestraft mit einem Tritt vor die Tür befördern darf?« Er hatte von ganzem Herzen zugestimmt, als kürzlich erst der »große alte Mann« seines Volkes, Gabriel Dumont, mit diesen Worten dem Bischof der Red-River-Diözese entgegentrat, der ihnen zu Demut und Gehorsam gegen die Obrigkeit hatte raten wollen.

Nein, seine Anhänger würden ihm nie verzeihen. Die Beleidigung traf ihn ja vor allem als Präsidenten, und damit galt sie dem ganzen Volk. Er hatte ihnen, sie hatten ihm geschworen, für ihre Freiheit zu kämpfen und niemand dabei zu schonen, der sich ihnen in den Weg stellte. Er würde Ansehen und Achtung für immer verspielt haben, wenn er vor einem Schlag ängstlich wie ein Schulknabe zurückwich.

Riel hatte dies einmal getan — damals, als der Vater seiner Jugendliebe Marie Guernon ihm die Tür wies, nur weil er, ein Metis, sich erdreistete, um die Hand seiner Tochter zu werben. Doch schon damals hatte er sich geschworen, ein solches Zurückweichen solle sich nie wiederholen. Damals hatte er die Demütigung dulden müssen, weil er allein, schwach und hilflos war. Vergessen aber hatte er sie nie; sie brannte noch immer wie eine Narbe, wenn die Erinnerung daran rührte. Ja, ohne jenen Schlag ins Gesicht, der ihn zugleich verwundete und

143

weckte, stünde er jetzt nicht als Sprecher und Anführer seines Metis-Volkes vor der Welt, aber freilich auch nicht vor einer solchen Schlangengrube voller Fragen und Ängste. Jener Schlag hatte ihn für immer gezeichnet mit dem Brandmal des Erniedrigten und Beleidigten — weil er einem Volk angehörte, das zwischen den Rassen stand und dem nur deshalb das Recht auf Achtung und Selbstbestimmung bestritten wurde.

Der Schuß und der Schrei

Zwei Tage später, am Vormittag des 3. März 1870, trat im Fort Garry das Schwurgericht zusammen, das Louis Riel als Präsident der Red-River-Republik einberufen hatte, um Thomas Scott aburteilen zu lassen. Das Gericht setzte sich aus fünf Geschworenen, Ambroise Lepine als Vorsitzendem und Riel als Staatsanwalt zusammen. Da weder Lepine noch die Geschworenen geläufig Englisch sprachen, wurde Französisch als Verhandlungssprache festgesetzt und Riel zusätzlich mit dem Amt des Dolmetschers betraut, da Thomas Scott nur Englisch sprach.

Es kam sofort zu erregten Szenen, als Scott gefesselt hereingeführt wurde. Er protestierte lärmend und unter wüsten Beschimpfungen gegen die Fesseln und gegen seinen Pflichtverteidiger Charles Nolin, der wie Riel beide Sprachen beherrschte. Scott verlangte, daß man ihm die Fesseln abnahm und ihm statt »eines meineidigen dreckigen Bastards einen anständigen Weißen« als Verteidiger stellte. Am heftigsten erboste ihn, daß man ihn allein vor Gericht brachte. Er wußte nicht, daß Riel tags zuvor Scotts Putsch-Komplizen über die Grenzen hatte abschieben lassen.

»Im übrigen«, erklärte Scott mit unbekümmerter Dreistigkeit und Überheblichkeit, »brauche ich keinen Verteidiger, und es ist mir auch ganz gleichgültig, daß als Geschworene nur ein paar Metis-Schafsköpfe bestimmt sind und nicht ein einziger weißer Mann. Was ich getan habe, nennt ihr Lumpenhunde Landfriedensbruch, Anstiftung zum Aufruhr und Mordversuch. Nennt es, wie ihr wollt. Ich und meine Freunde, wir haben uns nur unser gutes Recht genommen, das zu verteidigen, was uns gehört. Denn das Land am Red River ist weißen Mannes Land und wird es bleiben, was immer ihr dreckigen, nichtsnutzigen Halbwilden tun und sagen mögt. Und wie euer Urteil auch ausfällt: Wenn es nicht auf Freispruch lautet, tretet ihr damit einem weißen Mann zu nahe. Die Folgen werdet ihr zu tragen haben. Aber ihr werdet es gar nicht wagen, mir auch nur ein Haar zu krümmen. Dazu seid ihr Bastarde viel zu feige.«

Es kostete Riel keine sonderliche Überwindung, den Geschworenen diese Schimpfrede wortgetreu zu übersetzen, denn der ungebärdige Angeklagte bereitete mit seinem höhnisch anmaßenden Verhalten nur den Boden für die Anklagerede, die Riel als Staatsanwalt gleich darauf folgen ließ.

»Dieser Mann Thomas Scott muß bestraft, und zwar hart bestraft werden«, schloß Riel sein Plädoyer, nachdem er die Vorgänge noch einmal geschildert hatte, die Scott vor Gericht gebracht hatten. »Eine solche Bestrafung ist notwendig, um Ansehen und Autorität der Regierung der Red-River-Republik zu wahren und deutlich sichtbar zu machen, daß auf dem Boden unserer Republik niemand ungestraft gegen Recht und Ordnung verstoßen darf. Scott hat sich nicht nur selbst mehrmals der Gewalttätigkeit schuldig gemacht, sondern auch andere zum Aufruhr und anderen ungesetzlichen Handlungen angestiftet. Er vor allem trägt die Schuld daran, daß während des von ihm mitinszenierten Putsches zwei junge Menschenleben ausgelöscht wurden, die mit dem Aufruhr selbst nichts zu tun hatten. Wer sich wie dieser Thomas Scott immer wieder verblendet und engstirnig über Gesetz und Ordnung hinwegsetzt und die Rechte seiner Mitmenschen mißachtet, den muß die ganze Strenge des Gesetzes treffen.«

Das Gericht sprach nach kurzer Beratung Thomas Scott einstimmig schuldig im Sinne der Anklage. Aber nur drei der Geschworenen stimmten dafür, ihn zum Tod durch Erschießen zu verurteilen und dieses Urteil bereits am folgenden Tag zu vollstrecken. Die beiden anderen baten den Vorsitzenden, den Angeklagten zu Haft zu verurteilen und ihn nach angemessener Frist außer Landes zu weisen. Der Vorsitzende Lepine selbst konnte sich weder für das eine noch für das andere entscheiden. Er empfahl Riel, von seiner Vollmacht als Staatspräsident Gebrauch zu machen und die Vollstreckung des Todesurteils auf unbestimmte Zeit zu verschieben.

Das Urteil wurde erst kurz vor Sonnenuntergang öffentlich verkündet. Trotzdem wurde es wie vom Wind getragen noch in der Nacht in den Siedlungen um Fort Garry bekannt, und schon am folgenden Morgen fanden sich die ersten englischsprechenden Siedler ein, um Gnade für Scott zu erbitten. Sie alle gaben zu, daß er sich schuldig gemacht habe. Doch jeder bat eindringlich: »Schonen Sie sein Leben, Herr Präsident! Sie haben so lange ohne Blutvergießen gewirkt. Bewahren Sie sich diesen Ruhm.« Louis Riel hörte alle geduldig an. Mehr als einmal fühlte er sich geneigt nachzugeben. Doch dann streifte sein Blick unwillkürlich den bräunlich-schmutzigen Fleck auf der Spitze seines rechten Mokassins, und sein Herz verschloß sich wieder, und sein Gesicht wurde starr und abweisend. Schließlich ordnete er an, niemand mehr vorzulassen: Er habe auch noch anderes zu tun. Doch es hielt ihn nur wenige Minuten an seinem Schreibtisch. Er sprang auf und begann rastlos wie ein gefangenes Tier den Raum zu durchmessen — vom Schreibtisch zum Fenster, vom Fenster zum Kruzifix in der Ecke neben der Tür, von der Tür wieder zum Schreibtisch.

Hin und wieder verharrte er minutenlang am Fenster, preßte die Stirn gegen die kalte Scheibe und starrte hinaus auf die Landschaft, als ob dort ein Mensch oder auch nur ein Zeichen auftauchen könnte, von dem ihm Rat und Hilfe kam. Aber er erspähte nur einen Hundeschlitten, der in eiliger Fahrt nach Westen über die verschneite Prärie davonzog. Schlitten und Gespann verschwanden bald in einer Wolke von Schneestaub, die der eisige Winterwind aufwirbelte. Sonst zeigte sich kein einziges Lebewesen. Es war, als sei das weite Land, das seine Heimat war, von all den Menschen verlassen, um derentwillen Louis Riel die Bürde auf sich genommen hatte, die ihn in diesen Stunden fast zu zermalmen drohte.

Erst jetzt, am 4. März des Jahres 1870, wurde ihm ganz klar, was es bedeutete, sich an die Spitze dieses jüngsten und vielleicht seltsamsten Staatsgebildes auf amerikanischem Boden zu stellen. Zum erstenmal mußte er ganz allein über Leben und Tod eines Menschen entscheiden — er, der noch nie seine Hand gegen einen Mitmenschen erhoben hatte, um ihn auch nur zu schlagen, geschweige denn, um zu töten.

Je länger er mit sich um die Entscheidung rang, ob er das Todesurteil gegen Scott vollstrecken oder ob er Gnade walten lassen sollte, um so qualvoller wurde ihm bewußt: Wie er sich auch entschied, er würde damit eine Schuld auf sich laden, deren Begleichung einmal von ihm gefordert wurde. Nein, nicht nur von ihm allein, auch von seinem Volk, von den Metis! Gab er Scott frei, so würde die Mehrzahl seiner Metis an ihm irre werden, von ihm abfallen und dann führerlos, kopflos in einen Bürgerkrieg hineintaumeln. Ließ er Scott hinrichten, so würde man ihn als Mörder verschreien, und die Rache seiner Feinde würde nicht ihn allein, sondern sein Volk treffen. Der Mittag kam heran, und noch immer wußte Riel nicht, ob er dem Recht oder dem Unrecht diente, wenn er das Urteil vollstrecken ließ. Nun wurden auf dem Hof Stimmen und Schritte laut. Riel erkannte sofort, daß dort der Fortkommandant Lepine mit dem Pfarrer der englischen Siedler Winnipegs, Reverend George Young, stritt. Offenbar wollte Lepine dem Geistlichen den Zutritt zu Riels Amtsgebäude verweigern, denn der Pfarrer ließ sich nun sehr aufgebracht vernehmen: »Aber ich muß den Präsidenten noch einmal sprechen, Kommandant, ich muß! Wenn Monsieur Riel auch nur geringsten Wert darauf legt, als zivilisierter Mensch zu gelten, wird er sich dem Wort eines Geistlichen nicht verschließen und darauf verzichten, wegen einer Lappalie ein Menschenleben wie ein Spielzeug zu zerstören. Es ist ja noch nicht zu spät, die Exekution zu vertagen.«

Wegen einer Lappalie? Riel fuhr vom Fenster zurück, als habe jemand durch die Scheibe einen Stein nach ihm geschleudert. Scotts arrogant herausforderndes Benehmen, sein Hetzen und Hassen, das zu Gewalttaten geführt hatte, seine Morddrohungen gegen Riel, sein roher Überfall auf den Präsidenten der Red-River-Republik eine Lappalie? Ein Lausbubenstreich etwa, der mit einer Rüge, ein paar Wochen Arrest genügend geahndet wurde? Ob die Weißen drüben in Ontario wohl auch so nachsichtig urteilen würden, wenn es einem Metis einfiel, sich ähnlich gegen den Premierminister und gegen die Ordnung und die Gesetze der Provinz zu vergehen? Und wenn ein Metis etwa des Mordes an Dr. John Schultz schuldig wäre und deswegen zum Tode verurteilt, ob Reverend Young sich dann auch als ein zivilisierter Mensch aufmachen würde, um für den Delinquenten Gnade zu erbitten?

Nein, dieser häßliche Schmutzfleck dort auf seinem Schuh war keine Lappalie! Er war der sichtbare Ausdruck eines bornierten Hochmuts sondergleichen, der sich durch nichts anderes als durch Härte in Schranken halten ließ.

»Kanada muß lernen, uns zu respektieren«, murmelte Riel vor sich hin, und als im nächsten Augenblick Baptiste Delorme in die Tür trat und fragte, ob Reverend Young vorgelassen werden solle, schrie ihm Riel mit heiserer Stimme entgegen: »Sage dem Herrn Pfarrer, der Präsident wird der Gerechtigkeit nicht in den Arm fallen — jetzt nicht und niemals mehr!«

Baptiste zögerte einen Augenblick, denn er sah mit Grauen, wie sich Riels Gesicht zu einer gräßlichen Fratze verzerrte. Er hatte den Präsidenten noch nie derart außer sich gesehen und sagte sich schaudernd: Er ist nicht bei

Sinnen, weiß nicht, was er sagt und tut ... Aber Baptiste war zu jung und arglos und hing auch zu sehr mit grenzenloser Verehrung an Riel, als daß er sich getraut hätte, das Wort der Warnung auszusprechen, das sich ihm auf die Zunge drängte: Lassen Sie den Zorn nicht über sich Herr werden ... Verwirrt und erschüttert verneigte er sich nur wortlos, drehte sich um und schloß die Tür leise hinter sich.

Gleich darauf konnte Riel vom Fenster aus beobachten, wie sich die lange hagere Gestalt des Pfarrers mit gesenktem Kopf über den hartgefrorenen Schnee des Festungshofs entfernte und langsam auf den Gefängnisbau zuschritt. Noch wäre es Zeit, ihn zurückzurufen und das Unwiderrufliche zu verhüten, fuhr es Riel durch den Kopf. Er hob die Hand unwillkürlich zum Fensterknebel, ließ sie jedoch sogleich wieder sinken, denn als er die Augen hob, glitt sein Blick über den Wall hinweg zu dem Dorf Winnipeg drunten am Fluß.

Er sah, wie die Menschen ihre Häuser verließen und in Scharen über die Schnee- und Eisflächen strömten, die sich am Zusammenfluß von Red River und Assiniboine nach dem Herbsthochwasser bei Einsetzen des Frostes gebildet hatten. Diese Menschen eilten in die Kälte hinaus, um vor dem geschlossenen Tor des Forts auf die Salve der Exekution zu warten, die auf zwölf Uhr mittags angesetzt war. Ein Schauder überlief Riel beim Anblick dieser von einer grausamen Neugier angetriebenen Menge. Er wandte den Blick ab, der anderen Seite der Festung zu. Dort war inzwischen die ganze 600 Mann starke Streitmacht der jungen Republik angetreten und wartete schweigend, Gewehr bei Fuß. Einige Schritte vor der geschlossenen Frontlinie hatte sich bereits das Exeku-

tionspeloton aufgebaut. Riel konnte deutlich erkennen,
wie düster und bedrückt die Mienen der sechs Männer
waren. Keiner von ihnen wußte, ob er bei der Auslo-
sung der Gewehre eine scharfgeladene oder eine nur mit
einer Platzpatrone versehene Waffe erwischt hatte. Dies
war von Riel ausdrücklich angeordnet worden. Keiner
der sechs sollte mit einer Verantwortung belastet werden, die der Präsident ihres Staates allein zu tragen hatte.
Nun ging die Tür des Gefängnisbaus auf. André Nault,
durch das Los mit dem Exekutionskommando betraut,
trat als erster heraus. Ihm folgten die Gefangenenwärter.
Sie führten in ihrer Mitte den zum Tode Verurteilten.
Dicht neben Scott ging gebeugt und leichenblaß Reverend
George Young.
Vor der Tür riß sich Scott aus den Händen seiner Wächter los und schrie sie an: »Nehmt eure dreckigen Pfoten
weg von einem weißen Mann, ihr stinkenden Bastarde!«
Er schrie so laut, daß selbst Riel die Schimpfworte hören
konnte. Riels Hände krampften sich um den Fensterknebel. Eben noch, beim Anblick des verzweifelten Reverend
Young, war er entschlossen gewesen, das Fenster aufzu-
reißen und Befehl zu geben, die Exekution zu verschieben. Doch nun, da Scotts beleidigende Worte ihn erreichten, besann er sich abermals anders.
Scott ließ sich wie ein Mehlsack zu dem Platz schleifen,
den André Nault den Wärtern zeigte. Auf dem Gesicht
des Iren lag nun ein höhnisches Grinsen — das gleiche
verachtungsvolle Grinsen wie damals, als er vor Louis
Riel ausspie und mit seinem Speichel dessen Mokassin
traf.
Von seinem Platz am Fenster konnte Riel das unver-
schämte Grinsen deutlich erkennen. Seine Hände ließen

den Fensterknebel los. Er starrte auf Scotts Gesicht, und nun sah er, wie dessen höhnisch-überlegenes Lächeln plötzlich erstarb. Scott mußte erst in diesem Augenblick erkannt haben, daß ihn wirklich der Tod erwartete und nicht — wie er offenbar bis dahin annahm — ein grausames Spiel, das ihn demütigen und ängstigen sollte.

Seine Selbstsicherheit zerbrach endgültig, als Nault von hinten an ihn herantrat und ihm die Binde über die Augen legte. Da heulte Scott entsetzt auf: »Das — das könnt ihr doch nicht wagen, ihr farbigen Schufte! Einen weißen Mann hinrichten, das — das dürft ihr schmierigen Bastarde doch nicht . . .«

Seine Bewacher traten beiseite und entfernten sich. Nault gab Reverend Young einen Wink. Der Geistliche zögerte einen Augenblick, tat einen Schritt vorwärts, als ob er sich schützend vor den Verurteilten stellen wollte. Doch dann besann er sich und folgte den Bewachern.

Nault zog sein Taschentuch hervor, hob es in Schulterhöhe. Das Exekutionspeloton riß auf dieses Zeichen hin die Gewehre klirrend hoch. Als Scott dieses unmißverständliche Geräusch vernahm, schrie er in jäher Todesangst kreischend auf: »Das ist Mord, Mord, Mord . . .«

Nault ließ das Taschentuch sinken. Die Salve krachte und zerfetzte den anklagenden Schrei. Scott stürzte nach vorn in den Schnee. Ein roter Fleck breitete sich unter ihm in der weißen zertretenen Fläche aus. Gurgelndes Stöhnen des Verwundeten zerbrach das beklommene Schweigen, das dem Kracher. der Salve gefolgt war.

Riel schwankte vom Fenster zurück, vom Grauen so sehr geschüttelt, daß er sich an der Kante seines Schreibtischs festhalten mußte. In diesem Augenblick blaffte unten im Hof der kurze harte Knall eines Pistolenschusses. Das grauenhafte Stöhnen verstummte. Thomas Scott war tot. Als Riel nach einer Weile sich wieder ans Fenster traute, war der Hof leer. Nur der große blutrote Fleck im Schnee verriet noch, was hier geschehen war. Louis Riel starrte lange wie gebannt auf diesen Fleck. Und plötzlich stand ihm die Vision wieder vor Augen, die ihn vor wenigen Tagen heimgesucht hatte als ein Wahrbild dessen, was kommen mußte. Er sah wieder blutrote Flammen aus dem Schnee emporzüngeln, sah wie der in Trotz und Todesnot aufkreischende Schrei »Mord, Mord . . .« gleich einer Sturmböe in die Flammen fuhr, sie anpeitschte und vor sich her jagte, bis sie wie ein Präriebrand das ganze weite Land jenseits der Festungswälle verschlang.

Schaudernd taumelte er durch den Raum bis zum Bild des Gekreuzigten, warf sich davor in die Knie und stammelte: »Bitte für mich bei Gott dem Vater, Erlöser! Rette mich, rette mein Volk! Bitte ihn, daß er mir vergibt, was ich getan habe — was ich tun mußte, weil ich ein Metis bin.«

Der Ort, wo Gott wohnt

Fünf Tage nach Thomas Scotts Tod kehrte Bischof Taché, das geistliche Oberhaupt der Diözese Red River, nach langer Abwesenheit nach St. Boniface zurück. Er kam mit guten Nachrichten heim.

Taché hatte am Konzil zu Rom teilgenommen und auf der Rückreise Ottawa aufgesucht, um sich dort bei der Regierung des Dominions als Vermittler zwischen Metis und Kanadiern anzubieten. Premierminister McDonald empfing den Kirchenfürsten mit all der Liebenswürdig-keit, deren er fähig war, wenn er damit ein bestimmtes Ziel erreichen oder einen Gegner ablenken wollte. Der Bischof nahm jedenfalls aus dem Gespräch den Eindruck mit, daß es McDonald aufrichtig meinte, als er seinem Gast versicherte: »Die Regierung erkennt die provisori-sche Metis-Regierung und den Rat der Vierzig als legi-time Vertretung der Bevölkerung am Red River an. Sie betrachtet deren Vorschläge und Forderungen als brauch-bare Verhandlungsgrundlage. Sie ist darüber hinaus ent-schlossen, das Red-River-Gebiet als Provinz Manitoba, also als gleichberechtigten Bundesstaat, in das Dominion aufzunehmen. Das heißt: Manitoba wird seine politische Vertretung frei wählen und in das Parlament des Domi-nions die Vertreter schicken können, die seine Bevölke-rung haben will. Englisch und Französisch werden gleich-berechtigte Amtssprachen sein, und ein zweisprachiges Schul- und Justizsystem soll eingerichtet werden. Alle Vorfälle während des völkerrechtlichen Schwebezustan-des nach dem Erlöschen der Herrschaft der HBC im Ru-perts-Land sollen durch eine Amnestie aus der Welt ge-schafft werden.«

Riel gab diese guten Nachrichten sofort bekannt. Seine Metis jubelten, und auch der englische Bevölkerungsteil der Red-River-Republik atmete erleichtert auf. Alle blick-ten zufrieden der Stunde entgegen, in der — wie Bischof Taché als gewiß hinstellte — der neue Gouverneur A. P. Archibald am 15. Juli sein Amt übernahm und die neue Provinz Manitoba feierlich Mitglied des Dominions Ka-nada wurde.

Riel ging in seinem Glücksüberschwang sogar so weit, daß er seine Metis-Streitmacht auflöste. Er hielt den Frieden jetzt für endgültig gesichert. »Obwohl erst 26 Jahre alt, fühlte er sich doch wie Moses, der sein Volk aus der Unterdrückung in die Freiheit, durch die Wüste ins Gelobte Land geführt hat«, schreibt Hargrave nicht ohne ironischen Beiklang. »Er glaubte allen Ernstes, dank seiner Umsicht und Entschlossenheit dürfe sich jeder Metis von nun an als selbstbewußter, freier und vollgültiger Bürger eines freien Landes fühlen, allen Weißen gleichberechtigt ... Er sehe, so sagte er mir in jenen hochgestimmten Tagen voll Genugtuung, den Weg, der sich vor seinem Volk jetzt auftue, als eine helle und offene Straße ... In Zukunft werde sich niemand mehr unterfangen dürfen, die Metis auf den Stand einer verachteten, benachteiligten und verfolgten Minderheit herabzudrücken. Meine skeptischen Einwände und Warnungen wies er unwirsch als Nörgelei zurück. Er war eben noch sehr jung und mitunter gutgläubiger, als ein Politiker sich erlauben darf. Doch das lag zum guten Teil auch in seiner Metis-Abkunft begründet ...«

Riel und sein Volk durften sich dieser Hochstimmung nur etwa vier Wochen lang erfreuen. Dann wurde ihnen klar, daß ihnen das Verhängnis nach wie vor treu blieb. Wäre Bischof Taché mit seinen guten Nachrichten nur fünf Tage früher zum Red River zurückgekehrt, hätte Riel den verhetzten Wirrkopf Thomas Scott wahrscheinlich nicht hinrichten lassen. So aber wurde aus diesem »üblen Kerl, mit dem niemand gern etwas zu tun hatte«, aus »diesem verantwortungslosen, unbeherrschten Hitzkopf mit dem ruchlosen Maulwerk«, wie seine eigenen Parteifreunde Thomas Scott charakterisiert haben, allmählich ein Märtyrer, eine Symbolfigur.

Scott hatte am Red River immerhin einen einzigen wirklichen Freund gefunden, der über den Tod hinaus zu ihm hielt: Dr. John Christian Schultz. Wie Schultz es am Red River verstanden hatte, sich Scott dienstbar zu machen, so benutzte er dessen Mythos auch jetzt weiter als Waffe im Kampf gegen Riel und die Metis. Nichts hätte ihm willkommener sein können als die Hinrichtung dieses Gefolgsmannes. Sie lieferte ihm endlich ein wirklich schlag- und zugkräftiges Argument für den Propaganda-feldzug, den Schultz sofort nach seiner Flucht in Ontario begonnen hatte. Bis dahin hatte er sich mit Beschimpfun-gen und Verdächtigungen behelfen müssen. Jetzt stand ihm ein handfester Beweis zur Verfügung, und so kehrte denn in jeder seiner Hetzreden unweigerlich der Satz wieder: »Dieser junge gläubige Protestant, dieser freie Bürger der Provinz Ontario ist von den blutdürstigen französischen Papisten aus purer Rachsucht bestialisch abgeschlachtet worden. Es gibt Siebengescheite, die be-haupten: Der Tod dieses harmlosen, treuherzigen jungen Mannes geht Ontario nichts an, denn das Verbrechen ist nicht auf dem Boden Ontarios, ja, nicht einmal auf dem Boden des Dominions Kanada begangen worden. Ich aber sage euch: Es geht Ontario wohl etwas an, wenn einer seiner besten Bürger von Halbwilden umgebracht wird! Und ich sage euch ferner: Für jeden Einsichtigen ist klar, daß das Ruperts-Land von dem Tage an, wo die HBC es an unser Dominion verkaufte, als Bestandteil des Domi-nions zu betrachten ist. Deshalb haben wir Anspruch darauf, daß unsere Regierung das Verbrechen an Thomas Scott nicht ungestraft läßt. So denke nicht nur ich, so denken viele aufrechte Männer hier in Ontario. Der beste Beweis für eine solche aufrechte patriotische Gesinnung ist in meinen Augen, daß ein Bürger von Ontario eine

Belohnung von 5000 Dollar für die Ergreifung der Mörder unseres jungen Helden ausgesetzt hat. Gentlemen, wer diese Belohnung verdienen und Thomas Scott rächen will, der zögere nicht, in die Freiwilligentruppe einzutreten, die Colonel Wolseleys 60. Infanterieregiment ergänzen soll, sobald es den Marsch nach Westen antritt.«

Dr. Schultz blieb mit seiner Hetzkampagne keineswegs allein. Die Presse in Ontario erging sich gleicherweise in scharfmacherischen Tonarten. Auf ihre Fanfaronaden antworteten die Zeitungen der in ihrer Mehrheit katholisch-französischen Provinz Quebec mit einer ähnlich bissigen Katzenmusik. Gegenseitige Beschimpfungen und Verdächtigungen, hohnvolle Arroganz und bittere Erinnerungen an frühere Demütigungen vergifteten in den folgenden Wochen alle öffentlichen Diskussionen um die Geschehnisse in der Red-River-Republik und um die künftige Provinz Manitoba.

In diesem giftigen Qualm vollzog sich die Verwandlung Louis Riels und Thomas Scotts vom Individuum zum Symbol: Hier Scott, der Protestant, dort Riel, der Katholik. Wie auch in anderen, geschichtsbekannten Fällen war diese grobe Vereinfachung zugleich groteske Entstellung der Wahrheit und wirksame Propaganda, rührende Moritat und scharfe politische Hetze. Das Bild, das der unentwegte Hasser Dr. Schultz seinen Zuhörern in Ontario von Thomas Scott und Louis Riel in grellen Farben malte: tapferer junger Bekenner des fortschrittlichen Protestantentums von abergläubischem, rückständigem und noch dazu halbblütigem Papisten verfolgt und ermordet — dieses Bild stachelte althergebrachte, tiefeingewurzelte Vorurteile zu blutgieriger Rachsucht auf. Die Spenden zu Schultz' »Kampffonds« flossen reichlich, und es gelang

ihm, annähernd tausend Freiwillige für seinen Rachefeld-
zug gegen Riel und die Metis anzuwerben.

Zunächst sah es freilich nicht so aus, als ob die kleine
Armee feuriger Patrioten Pulver zu riechen bekommen
sollte. In Ottawa begannen, ungeachtet allen Pressege-
schreis, die Verhandlungen über ein Statut für die zukünftige Provinz Manitoba, und es schien, als sollte die
neue Provinz des Dominions eine Verfassung erhalten,
die allen ihren Bevölkerungsgruppen, sogar den Indianern, volle Gleichberechtigung gab. Manitoba wäre dadurch ein beispielhaftes Staatsgebilde geworden, das seinen anspruchsvollen Namen mit einem gewissen Recht
trug. In der Sprache der Cree-Indianer bedeutet Manitoba
nämlich »Der Ort, wo Gott wohnt«. Louis Riel, der politische Träumer, hatte ihn — romantisch wie stets — für
die neue Provinz vorgeschlagen.

Der schöne Name war aber schließlich fast das Einzige,
was von der ursprünglich zur Debatte stehenden, groß-
zügigen Verfassung der Provinz übrigblieb, die sich Riel
als Frucht seines Kampfes erhoffte. Einer seiner Kampfgefährten verdarb ihm die Ernte noch im letzten Augenblick und lieferte der Regierung in Ottawa einen plau-
siblen Vorwand, der von Dr. Schultz und seinen Partei-
gängern angeheizten Volksstimmung in Ontario nachzugeben, die aussichtsreichen Verhandlungen abzubrechen
und Truppen zum Red River in Marsch zu setzen.

Der Mann, der diese unheilvolle Wende auslöste, hieß
William O'Donohue. Dieser — ein in St. Boniface ansäs-
siger Ire katholischen Glaubens — war zuletzt Finanzmi-
nister der Red-River-Republik gewesen. Riels Bereitschaft, Manitoba in das Dominion Kanada einzugliedern,
enttäuschte ihn tief. Er nämlich hatte bei der Rebellion

am Red River von vornherein und gewiß nicht ohne Wissen Riels den Plan verfolgt, das Ruperts-Land an die Vereinigten Staaten anzuschließen.

O'Donohue unterhielt seit langem Beziehungen zu einer Gruppe amerikanischer Politiker und Eisenbahnmagnaten, die daraufhin arbeitete, die USA über ganz Nordwestamerika vom Oberen See bis nach Alaska auszudehnen. Sie hatte Seward 1867 dazu ermutigt, den Russen Alaska abzukaufen. Und als die »Rebellion am Red River« begann, versprach sie Riel Hilfsgelder in Höhe von vier Millionen Dollar für den Fall, daß sich die Red-River-Republik dem Anschluß an das Dominion Kanada erfolgreich widersetzte.

Es gibt keinen Beweis dafür, daß Louis Riel jemals ernstlich erwog, auf solche Pläne einzugehen. Aber man kann es ihm kaum verdenken, wenn er solch ein Angebot nicht von vornherein ablehnte. Er verlangte jedoch, daß O' Donohue und seine Hintermänner am Red River nicht öffentlich für einen Anschluß des Red-River-Gebiets an die USA agitierten. Offenbar wollte er diesen Plan nur im äußersten Notfall bei den Verhandlungen mit Ottawa als Druckmittel verwenden.

Als die Verhandlungen nun überraschend günstig anliefen, sah O'Donohue seine Felle davonschwimmen. Er kam mit seinen amerikanischen Komplizen überein, vollendete Tatsachen zu schaffen und die Vereinigten Staaten dadurch zur bewaffneten Intervention und zur Besetzung des Nordwestens westlich des 90. Längengrades zu zwingen. Wahrscheinlich hat der Journalist James Hargrave den Vermittler zwischen O'Donohue und den Amerikanern gespielt, die ihr Hauptquartier in St. Paul hatten.

Als Werkzeug für ihre Absichten stand die sogenannte
»Fenier-Armee« zur Verfügung, die seit Februar 1870
angeworben wurde. Sie setzte sich aus Iren zusammen,
die im amerikanischen Bürgerkrieg auf der Seite der
Nordstaaten gekämpft hatten, seitdem aber arbeitslos
und dementsprechend verbittert waren. Diesen Leuten —
durchweg katholische Gegenstücke zu dem protestanti-
schen Wirrkopf und Raufbold Thomas Scott — wurde in
flammenden Reden vorgegaukelt, es gehe darum, die
Sache der katholischen Metis zu unterstützen und sie
davor zu bewahren, daß sie ebenso wie die Iren daheim
auf der »Grünen Insel« von den Engländern unterdrückt
und ausgebeutet würden. In Wahrheit sollte die Freiwilligentruppe als Invasionsarmee von Minnesota aus das
Red-River-Gebiet besetzen und den Kanadiern zuvorkommen.

Die Metis hoffte O'Donohue dann schon auf seine Seite
zu bringen — zumal, wenn es am Red River zu den blutigen Unruhen kam, die bis zum vermittelnden Eingreif-
fne von Donald Smith jeden Tag auszubrechen drohten.
O'Donohues Hintermänner ihrerseits rechneten damit,
daß sie die Regierung in Washington dann veranlassen
könnten, die Scheu vor einem Konflikt mit England ab-
zulegen und am Red River offen einzugreifen, um — wie
Hargrave schreibt — »sich für die Bürgerrechte und die
Glaubens- und Gewissensfreiheit der Bevölkerung der
Red-River-Republik mit Taten und nicht nur mit Worten
einzusetzen«.

Natürlich konnte es in Kanada nicht verborgen bleiben,
daß sich etwa ab Mai 1870 in Wisconsin und Minnesota
eine illegale Iren-Armee zu sammeln begann. Und als
zudem O'Donohue — wahrscheinlich, um Riel in letzter

Stunde doch noch auf seine Seite zu zwingen — in aller Öffentlichkeit kriegerisch-prahlerische Töne anschlug, hatten Dr. Schultz und seine Parteigänger in Ontario endlich die höchst erwünschte Gelegenheit, handfesten, begründeten Druck auf die Regierung in Ottawa auszuüben. Sie schrien laut Verrat und forderten, Riel und seine Rebellen sollten »unverzüglich bestraft werden, und es seien sofort geeignete Maßnahmen zum Schutz aller gutgesinnten, königstreuen Bürger am Red River zu ergreifen«. Die Regierung konnte sich diesem Druck nicht entziehen. Sie ordnete an, das 60. Infanterie-Regiment sobald wie möglich nach Fort Garry zu verlegen.

Den Rachedurstigen in Ontario genügte dies freilich nicht. Sie verlangten und setzten durch, daß das Regiment durch freiwillige Milizsoldaten auf seine Kriegsstärke von 1200 Mann gebracht wurde. Sie drückten ferner durch, daß der Oberst Garnett Wolseley mit dem Kommando der Expedition betraut wurde. Tatsächlich sprach man in Ontario jetzt schon ganz offen von einer Strafexpedition, »um die aufsässigen Bastarde am Red River endlich zur Räson zu bringen«. Und Oberst Wolseley schien der richtige Mann für eine solche Aktion zu sein, denn er hatte sich kürzlich erst in einer Zeitung vernehmen lassen, »es sei höchste Zeit, den dreckigen Mischlingen am Red River eine derbe Abreibung zu erteilen«.

Von solcher Gesinnung geleitet, wußte Wolseley es einzurichten, daß in das Freiwilligen-Kontingent nur Leute aufgenommen wurden, die sich als Metis-Fresser bekannten und den unseligen Thomas Scott als heldenhaften Märtyrer verehrten.

Es gab jedoch auch in Ottawa genug einsichtige Männer, die begriffen, welch eine Gefahr ein Mann wie Wolseley an der Spitze einer solchen Truppe bedeutete. Sie fürchteten, der mit Mühe verhinderte Bürgerkrieg am Red River könne doch noch aufflammen, wenn der Oberst dort allein regierte. Zu diesen Einsichtigen gehörte Donald A. Smith. Er beschwor den Premierminister McDonald, den von der Krone als Gouverneur von Manitoba bereits bestätigten Mister Archibald unverzüglich nach Fort Garry zu schicken, damit dieser dort unparteiisch über Ruhe und Ordnung wachte und die Metis davon überzeugte, daß sie auch von Wolseleys Truppe nichts zu befürchten hätten.

McDonald hielt diese Warnungen jedoch für übertrieben. Er war ein geübter politischer Zauderer; die Indianer Kanadas, die er seit langem an der Nase herumführte, nannten ihn nicht umsonst treffend »Old Mister Tomorrow« (Alter Herr Übermorgen). Deshalb wußte er immer wieder plausible Gründe zu finden, die Amtsübernahme des Gouverneurs hinauszuschieben, und dieser reiste erst ab, als Wolseleys 60. Regiment längst auf dem Marsch nach Westen war. Das Verhängnis nahm seinen Lauf.

Wolseleys „fidele Jungs"

Der Herr Oberst hatte jedem, der es hören wollte, immer wieder versichert, es werde seiner Truppe ein leichtes sein, den Weg von Toronto zum Red River in längstens 72 Tagen zu bewältigen. Doch er unterschätzte die Schwierigkeiten eines solchen Marschs durch die Wildnis, die das Westufer des Oberen Sees von der Prärielandschaft des Westens trennt.

Es gab dort zwar eine Straße, die Dawson Road, aber sie begann erst am Wälder-See und war im übrigen nicht mehr als eine Schneise im Waldland und hinter diesem, bis Winnipeg, ein unbefestigter Landweg, der sich bei jedem stärkeren Regenfall in Morast verwandelte. Die Verbindung zwischen Dawson Road und Oberem See bildete der alte, von den Pelzhändlern vor 150 Jahren geschaffene Transportpfad von Fort William über den Shebandowan-, Pickerel-, Regen- und Wälder-See. Er bestand zwar größtenteils aus für Flachboote schiffbaren Gewässern, wies aber auch mehrere lange und schwierige »portages« auf — Landstrecken, auf denen alle Boote und jedes Stück Gepäck getragen werden mußte.

Erschwerend kam für Wolseleys Truppe hinzu, daß sie zu zwei Dritteln aus ungeübten Landwehrleuten bestand, die erst an strapaziöse Märsche und militärische Disziplin gewöhnt werden mußten. Die britischen Berufssoldaten waren zwar besser trainiert, hatten jedoch keine Ahnung von den Anforderungen eines Zugs durch die Wildnis. So gab es in der ganzen »Armee« nicht einen Mann, der sich darauf verstand, ein Boot über Urwaldflüsse und Wildnisseen zu steuern. Es blieb Wolseley deshalb nichts anderes übrig, als in Fort William eine Kompanie franko-kanadischer Bootsleute — sogenannte Voyageurs — und zwei Dutzend wegekundige Bootsführer anzuheuern. Von diesen letzten waren einige Indianer, die meisten aber Metis, woraus — wie ein Zeitgenosse ironisch bemerkt — »zu ersehen ist, daß die Wilden und Halbwilden dem Herrn Oberst erst eine Lektion in der Kunst des Überlebens in der Wildnis erteilen mußten, ehe er ihren Landsleuten die beabsichtigte Lektion in zivilisierter Verhaltensweise erteilen konnte«.

Erst in Fort William erfuhr Wolseley von diesen Landeskundigen, daß er seine Truppe für den Marsch durch die Wildnis mit weit mehr Proviant belasten mußte als geplant. Zwischen dem Oberen See und dem Red River gab es damals nämlich so gut wie keine Siedlung, ja, nicht einmal eine Farm. Das ganze Gebiet wurde nur von einigen kleinen Banden indianischer Jägernomaden bevölkert, und selbst diese litten zeitweise bitteren Hunger, denn in dieser zum »Laurentischen Schild« gehörenden, größtenteils moorigen Landschaft gab es nur wenig jagdbares Wild.

Von den Metis und den Voyageurs mußte sich Wolseley in Fort William auch belehren lassen, daß die schweren Boote, mit denen die Truppe den Oberen See überquert hatte, sich für die Gewässer der Wildnis nicht eigneten. So mußten neue, leichtere Boote teils gekauft, teils gebaut werden. Doch auch diese erwiesen sich noch als zu groß und zu schwer für das seichte Flüßchen, das die erste Wegstrecke zwischen Fort William und dem Shebandowan-See darstellte.

Boote und Gepäck mußten über diese 68 Kilometer lange, seit jeher berüchtigte »long portage« auf dem Rücken der Soldaten befördert werden. Die Männer lernten hier bereits gründlich die Tücken und Schrecken eines Marsches durch die Wildnis kennen. Tagelange Gewitterstürme verursachten große Windbrüche in den Wäldern und machten dadurch den Tragstellen-Pfad unpassierbar. Wolseleys Truppe brauchte allein drei volle Wochen täglich sechzehnstündiger, knochenbrechender Arbeit, um die gestürzten Bäume beiseite zu räumen.

Dann erst konnten die Boote auf flache Transportwagen gesetzt und gezogen und geschoben werden. Doch dies war auch nur auf ebenem Gelände möglich. Sobald der Pfad an eine mäßig steile Anhöhe kam oder ein versumpftes Tal durchquerte, mußten außer dem übrigen Gepäck auch die Boote und die Wagen auf die Schultern geladen und getragen werden. Und dieses Gepäck bestand keineswegs nur aus Tornistern und Handwaffen! Es gehörten dazu: eine Kanone, Kisten mit Artillerie- und Gewehrmunition und vor allem die anderthalb Zentner schweren Fleisch- und Mehlfässer, von Rudern, Segeln, Ankern und anderen Utensilien gar nicht zu reden. Eine Erholung von der Plackerei der Tragstellen waren für die geschundenen Soldaten nur die Fahrten über die Seen, sofern sie dort nicht auch noch bei Gegenwind Schwerstarbeit an den Rudern leisten mußten. Die Flüsse zwischen den Seen waren oft so flach oder so sehr mit Stromschnellen durchsetzt, daß die Boote ganz oder teilweise entladen werden mußten, ehe man sie an schweren Trossen vom Ufer aus mühsam durch die gefährlichen Stellen schleppen konnte. Diese Schinderei wiederholte sich dann so lange, bis das letzte Stück Gepäck an Ort und Stelle war und das Beladen aufs neue begann.

Beim Treideln der Boote sanken die Soldaten an den moorigen Ufern oft bis zur Hüfte ein. Auf felsigen steilen Tragstellen vergossen sie unter der glühenden Sommersonne Ströme von Schweiß. Überall vergällten ihnen Mückenschwärme das Leben — selbst dort, wo sie an langen kalten Regentagen auf schlammigen Urwaldpfaden froren. Zeitweise litt fast die Hälfte der Truppe an Erkältungskrankheiten, rheumatischen Schmerzen und Durchfall.

Trotzdem sangen sie unterwegs viel, vom Beispiel der Metis und Voyageurs angefeuert, die trotz aller Strapazen ihre gute Laune nur selten einbüßten. Diese kannten die Mühsale der Kanureise in der Wildnis freilich seit langem und nahmen sie gleichmütig hin wie den Wechsel von Sonne und Regen. Nicht umsonst hatten ihre Vorfahren den Pelzhändlern der HBC und anderer Pelzhandelsunternehmen als Waldläufer und Frachtschiffer gedient.

Das Lieblingslied der Soldaten Wolseleys wurde eine alberne Reimerei, die einer ihrer Berufsunteroffiziere unterwegs zusammengeschustert und einer beliebten Marschmelodie unterlegt hatte:

»Seid munter, Jungs! Laßt uns eins singen!
Das gibt den müden Knochen wieder Schwung.
Wir haben noch bis Manitoba vorzudringen.
Da hilft kein Murren. Flott voran! Noch sind wir jung...
Fidel und jung, jung und fidel!
So geht es weiter, meiner Seel',
Durch Dreck und Speck mit frischem Schwung...
Fidel und jung, jung und fidel!«

Es mag wohl sein, daß dieses Liedchen den Soldaten unterwegs oft half, trotz aller Strapazen munter und fidel zu bleiben. Doch als sie am 20. August, nach Überwindung von 47 Tragstellen, endlich den Winnipeg-See erreichten, war ihr Vorrat an Munterkeit bis zum letzten Tropfen aus ihnen herausgepreßt. Weder Lied noch Befehl noch die Aussicht, daß dieser »Krieg« nun bald vorbei sein würde, konnten ihre gute Laune wiederherstellen. Denn wenn ihr Zug durch die Wildnis eine endlose Kette von Strapazen und Widerwärtigkeiten gewesen war: Seit sie das offene Land der Prärie erreicht hatten, wurde er zur Hölle, zu einer feuchten und kalten Hölle.

Schuld daran trug das Wetter. Der ganze Sommer dieses Jahres war ungewöhnlich feucht und kühl gewesen. Jetzt, da er sich seinem Ende zuneigte, wurde er von einem Tag auf den anderen zu einem vorzeitigen, unerfreulichen Herbst. Regenstürme jagten ununterbrochen über die Prärie. Sie rissen die Zelte der Soldaten um. Das Regenwasser strömte in Bächen durch die Lagergassen, und die Truppe steckte beim Marsch wie bei der Rast bis zu den Knien im Schlamm.

Das letzte Biwak, am 23. August, sechs Meilen nördlich Fort Garry, war das schlimmste von allen. Es goß die ganze Nacht hindurch, und der Sturm erlaubte nicht, auch nur eines der flachen Zelte aufzustellen. Außerdem war es bitterkalt, und Nässe und Sturm machten es unmöglich, Feuer zu unterhalten.

In strömendem Regen wurde das Lager noch vor Sonnenaufgang abgebrochen. Es dauerte vier Stunden, bis die frierenden und durchnäßten Soldaten gepackt und die Bagage auf die Boote verladen hatten, die das Regiment auf dem Red River bis in die Nähe von Fort Garry befördern sollten. Es regnete immer noch, als sie bei Winnipeg anlegten. Die Häuser der Siedlung kamen nur minutenweise hinter den Regenschwaden zum Vorschein.

»Der Landregen wurde zum Wolkenbruch, als wir in Winnipeg einrückten«, erinnert sich der Leutnant Buller vom 60. Regiment, der später als General im Burenkrieg eine nicht sehr rühmliche Rolle gespielt hat. »Unsere Stimmung war dementsprechend, und die Begrüßung durch die Einwohner auch. Bei der Fahrt den Red River aufwärts hatte uns wenigstens ab und zu ein britischer Siedler zugewinkt. Hier traute sich bei solchem Hundewetter kein Mensch vor die Tür.

Unsere müden Soldaten fühlten sich tief enttäuscht. Sie hatten Fahnen, Girlanden, Hurrarufe und freundliches Zuwinken hübscher Mädchen erwartet. Hatten sie sich 96 Tage lang tapfer und unverdrossen durch die Wildnis gequält, um nun so schnöde empfangen zu werden? Hatte man ihnen in Ontario nicht erzählt, sie müßten die britischen Siedler am Red River aus den Klauen einer Bande blutdürstiger Rebellen befreien? Nun waren sie angelangt und die Rebellen offensichtlich verscheucht, denn man hatte noch keinen von ihnen zu Gesicht bekommen, geschweige denn einen Schuß gehört. Und was geschah jetzt? Winnipeg wurde doch durchweg von Briten bewohnt! Wo aber blieb deren jubelndes Willkommen für ihre Befreier?

Aber ich will nicht übertreiben«, schließt Bullers Bericht ironisch. »Zumindest ein Mann grüßte ›Wolseleys fidele Jungs‹ enthusiastisch: ein alter zerlumpter Indianer, der stockbesoffen war und heiser Hurra krächzend seinen fettigen Speckdeckel von Hut schwenkte. Doch das reichte kaum aus, die Munterkeit unserer Truppe wiederherzustellen. Sie war und blieb sauer und erbost, und das machte sich leider in den Vorfällen der folgenden Tage häßlich bemerkbar.«

Die gold'ne Lilie der Prärie verblüht

Die Red-River-Republik Louis Riels endete so, wie sie begonnen hatte — in einem Zustand der Ratlosigkeit und des verwirrenden Widerstreits unterschiedlicher Meinungen.

Zum letztenmal war man sich im Juni einig, als der »Rat der Vierzig« Riel einstimmig ermächtigte, die mit Ottawa ausgehandelte »Manitoba-Akte« zu unterschreiben. Wenige Tage danach trafen beunruhigende Nachrichten über den Abmarsch der Streitmacht Oberst Wolseleys ein und über die bedrohlich einseitige Auswahl der Freiwilligen für das Milizbataillon dieser Truppe.

O'Donohue, der jeden Tag den Einmarsch der in Minnesota und Wisconsin zusammengezogenen irischen Freischärler erhoffte, drang in Riel, die Metis-Landwehr aufzubieten und Wolseley Gewehr bei Fuß zu erwarten. Auch Gabriel Dumont war dafür; er schlug Riel sogar vor, Wolseley so lange durch aktiven Widerstand am Betreten der Red-River-Republik zu hindern, bis der neue Gouverneur Archibald eingetroffen war und eine neue Regierung gebildet hatte.

»Ein paar Dutzend unserer besten Schützen, an strategisch günstigen Punkten eingesetzt, würden selbst eine ganze Armee in der Wildnis zwischen Fort William und Wälder-See festnageln«, erklärte Dumont zuversichtlich und hatte damit wahrscheinlich recht. Ein hinhaltender Heckenschützenkrieg wäre vermutlich erfolgreich gewesen, zumal Wolseley ohne Metis- und Indianer-Wegführer in der Wildnis so gut wie hilflos steckengeblieben wäre.

Riel schwankte, hielt dann aber, von Bischof Taché unterstützt, an seinem Entschluß fest, es nicht noch einmal auf eine Kraftprobe mit dem Dominion ankommen zu lassen.

»Meine Aufgabe war es, unserer Heimat ohne blutige Kämpfe eine ihm gemäße Verfassung zu erstreiten«, erklärte er. »Das ist gelungen. Nun bleibt mir nur noch eins zu tun: die Verantwortung, an der ich schwer getragen habe, in die Hände des Gouverneurs zu legen, den die Krone für Manitoba berufen hat. Er wird dafür sorgen, daß der Frieden weiterhin erhalten bleibt und die Manitoba-Akte in Kraft gesetzt wird.«

In diesem Entschluß wurde er noch dadurch bestärkt, daß Oberst Wolseley ihm beim Aufbruch seines Regiments in Fort William eine Proklamation übersandte, in der es hieß: »Die Truppe, die zu kommandieren ich die Ehre habe, wird die Aufgabe haben, Leben und Eigentum der Bürger aller Rassen und religiösen Bekenntnisse zu achten und zu schützen.«

Aber schon Mitte Juli liefen der Marschkolonne des 60. Regiments beängstigende Gerüchte über die Stimmung und die wahren Absichten der Truppe voraus, denn die Metis-Waldläufer im östlichen Grenzbereich ihrer Republik hielten Augen und Ohren offen und erfuhren genug von ihren Landsleuten, die sich in Fort William als Wegführer und Bootsleute hatten anwerben lassen.

Die erste konkrete Warnung überbrachte James Isbister, ein britischer Pelzjäger, der — mit einer Indianerin verheiratet — am Wälder-See hauste. Isbister hatte an sich einen erfreulichen Anlaß, nach St. Boniface zu kommen: Seine älteste Tochter, die mit Riels Adjutanten Baptiste Delorme verheiratet war, erwartete in diesen Tagen ihr erstes Kind, und die Großeltern sollten bei der Taufe nicht fehlen. Was er am Wälder-See von Metis-Freunden gehört hatte, breitete er vor Baptiste aus, der ihm riet, sogleich Riel selbst aufzusuchen.

Isbister ließ sich denn auch am nächsten Tag bei Riel melden und berichtete: »Well, Präsident, ich hätte Sie nicht behelligt, wenn Baptiste es nicht für richtig gehalten hätte, daß ich Ihnen sage, was ich weiß. Dachte auch, Sie wüßten es längst, daß die Soldaten Wolseleys immer wieder laut damit prahlen, sie kämen nur an den Red River, um Thomas Scotts Tod zu rächen und die Metis dahin zurückzujagen, wohin sie gehören — in die Wildnis nämlich.«

»Aber die Offiziere denken doch gewiß vernünftiger«, erwiderte Riel. »Sie werden Raufbolden und Hitzköpfen keine Übergriffe erlauben.«

»Vernünftig und anständig denken die meisten der britischen Berufsoffiziere«, sagte Isbister. »Aber sie sind ja in der Minderheit gegen die Milizoffiziere. Und die fordern Ihren Kopf, Präsident, und harte Strafen für alle, die sich mit Ihnen, Präsident, auf das eingelassen haben, was diese dummen Kerle eine Rebellion gegen das Dominion und gegen die Krone nennen. Wissen Sie, was ich tun würde, wenn ich an Ihrer Stelle wäre, Präsident?«

»Nun?«

»Ich würde entweder die Metis-Landwehr aufbieten und Wolseley zwischen Wälder-See und Winnipeg-See, also ehe er in die Prärie kommt und seine Truppe sich entfalten kann, das Gruseln lehren. Erst wenn der neue Gouverneur hier ist und Ihnen bindende Zusagen für das Wohlverhalten der Truppe Wolseleys gegeben hat, würde ich dem 60. Regiment — aber ohne seine Miliz-Bataillon — gestatten, an den Red River zu kommen. Wollen Sie das nicht, Präsident, weil Sie — wie Baptiste sagt — Blutvergießen vermeiden möchten, dann reiten Sie mit dem alten James Isbister zum Wälder-See! Er wird Sie dort so lange verborgen halten, bis ein Mann wie Sie sich wieder unbesorgt im Fort Garry sehen lassen darf.«

Riel schüttelte den Kopf. »Sie meinen es gut, Mister Isbister«, sagte er. »Aber ich habe der Regierung in Ottawa durch Donald Smith zugesagt, daß ich die Regierungsgewalt hier nur so lange ausüben werde, bis ich sie einem Bevollmächtigten des Dominions übergeben kann. Trifft Oberst Wolseley vor Mr. Archibald hier ein, dann muß ich ihn als Bevollmächtigten des Dominions ansehen, und es wird meine Pflicht sein, ihn in Fort Garry in aller Form willkommen zu heißen. Man soll dann nicht sagen dürfen: He, wo steckt denn nun euer famoser Präsident? Hat er sich in Luft aufgelöst? Oder in die Wälder verkrümelt?«

»Und wenn man Sie sofort verhaftet? Ihnen den Prozeß macht«, fragte Isbister hartnäckig und sichtlich besorgt.

»Wir haben die Zusage einer Amnestie für alles, was während unserer Metis-Regierung geschehen ist.«

»Haben Sie diese Zusage schriftlich? Steht sie in der Manitoba-Akte, von der mir Baptiste vorgeschwärmt hat«, fragte Isbister ungeniert weiter, und als Riel den Kopf schüttelte, rief der alte Trapper entrüstet: »Nein? Dann rechnen Sie nur nicht damit, daß man sich dieser Zusage wirklich erinnert!«

»Und das sagen Sie — ein Weißer, ein Brite — mir, dem Metis?«

»Ich kenne meine Landsleute in Ontario nur zu gut, Präsident Riel«, antwortete James Isbister bitter. »Wäre ich sonst in die Wildnis gegangen zu den Indianern? Wäre ich sonst ein Freund der Metis? Bei den Ontario-Leuten geht der Hochmut wie eine Pest um. Sie halten sich für bessere Menschen, nur weil sie eine weiße Haut haben — für bessere Menschen auch als alle, die ihre Nase in ein anderes Gebetbuch stecken als sie. Ich bin sicher, sie werden bei Gottvater auch darauf bestehen, daß er ihnen eine separate Hölle einrichtet, wenn er ihnen am Jüngsten Tag klarmacht, daß sie die Hölle verdient haben. Weil sie davon überzeugt sind, daß sie bessere Menschen sind als die mit brauner Hautfarbe, meinen sie, sie brauchten Indianern und ihresgleichen Versprechen nicht zu halten. Man kann sie nur dazu zwingen, wenn man wachsam bleibt und jeder Zeit bereit, mit der Faust dreinzuschlagen. Daß wir ihnen im Buschkrieg überlegen sind, wissen sie. Halten Sie diese Waffe in Bereitschaft, Präsident!«

»Ich will keinen Krieg! Und erst recht keinen Krieg nach Indianerart«, entgegnete Riel gereizt. »Man soll uns nicht mit Indianern auf eine Stufe stellen.«

Isbister sah ihn groß an, und sein Gesicht verfinsterte sich. Er hatte aus Gründen, die man respektieren mußte, bewußt das Los des »Squaw-Manns« gewählt — das Los des Weißen, der sich durch seine Ehe mit einer Indianerin mehr den Rothäuten als den Weißen zugehörig fühlte. Riel spürte sofort, daß er sich einer Taktlosigkeit schuldig machte, als er diesem redlichen Mann gegenüber die Distanz so nachdrücklich betonte, die seit jeher von den Metis gegen die Indianer gewahrt wurde.

»Ich wollte Sie nicht kränken, Vater Isbister«, sagte er. »Wie könnte ich auch, da ich doch Baptiste versprochen habe, Taufpate des Kindes zu werden, dessen Großvater Sie sind.«

Riel blieb trotz dieser und anderer Warnungen der Meinung, Wolseleys Truppe sei nicht zu fürchten. Erst als Anfang August aufs neue sehr beunruhigende Nachrichten eintrafen, erlaubte er Gabriel Dumont, genaue Erkundigungen einzuziehen. Gabriel kam bedrückt zurück.

Wolseleys Soldaten waren, nachdem sie den Wälder-See passiert hatten, bei Rat Portage auf die erste größere Siedlung gestoßen. Hier gab es etwa ein Dutzend Metis-Familien. Ihnen war von den Soldaten übel mitgespielt worden, und Wolseleys Offiziere hatten nichts getan, die Roheiten zu verhindern. Ja, sie hatten sogar noch geprahlt, dies sei erst das Vorspiel; die eigentliche Oper werde noch folgen — am Red River, in St. Boniface, St. Norbert »und all den anderen Rattennestern«.

»Aber, Louis, es ist noch nicht zu spät«, mahnte Dumont. »Wir können den Kampf noch aufnehmen und den weiteren Vormarsch der Truppe aufhalten. Ihre Übergriffe in Rat Portage geben uns nicht nur ein Recht dazu, sie machen es uns sogar zur Pflicht. Noch haben wir eine eigene Regierung, und sie ist verpflichtet, Leben und Eigentum ihrer Bürger zu schützen. Und wenn du nicht willst, braucht es nicht einmal zu einem Gefecht zu kommen. Ich wüßte schon, wie man Wolseley ohne einen einzigen Schuß lahmlegen kann.«

»Woran denkst du, Gabriel«, fragte Riel beunruhigt.

»An einen alten Indianertrick«, sagte Dumont lachend. »Du mußt wissen, ehe Wolseleys Bootsflotte den Winnipeg-See erreicht, muß sie eine Reihe von Stromschnellen durchfahren. Sie sind nicht so schlimm, als daß man die Boote entladen müßte. Aber die Durchlässe zwischen den Felsen sind so eng, daß man dort leicht Baumstämme einrammen kann — ganz dicht unter der Oberfläche, aber so, daß die Hindernisse vom Schaum der Wasserwirbel verborgen werden. Die Stämme werden die Boote aufreißen und zum Scheitern bringen. Die Cree am English-River sind bereit, mir bei diesem Streich zu helfen. Sie spitzen sich schon auf die Beute, die für sie dabei abfällt.

Wolseley würde seine ganze Ausrüstung verlieren und dann wie eine lahme Ente am Rand der Prärie sitzen.«

»Und Menschenleben kämen dabei ganz sicher nicht in Gefahr?«

»Das läßt sich kaum vermeiden. Einige Soldaten werden vermutlich ertrinken«, erwiderte Dumont kühl. »Bedenke aber bitte auch, daß diese Kerle dich und mich und unsere besten Freunde ohne Gewissenbisse an den Galgen bringen wollen, wenn sie uns kriegen.«

»Ich habe schon einmal gesagt: Ich will keinen Krieg und schon gar nicht einen nach Indianerart«, sagte Riel scharf. »Stößt Wolseleys Truppe auf Widerstand, dann wird man uns Metis als Friedensbrecher ächten. Dann sind wir vertragsbrüchig geworden, nicht sie. Doch ich kann etwas anderes tun, damit meine Freunde nicht für Ehre und Leben fürchten müssen. Ich entlasse euch alle aus dem Dienst der Red-River-Regierung! Ich werde die Kanadier allein begrüßen! Führen sie Böses im Schild, dann werde ich ihr alleiniges Opfer sein.«

»Du bist ein Narr, Louis«, brummte Dumont. »Aber ich bin selbst ein Narr dieser Art. Ich bleibe so lange bei dir, wie du mir erlaubst, dich wie bisher zu schützen.«

»Dann befehle ich dir, noch heute zu deiner Frau am Saskatchewan zurückzukehren, Gabriel! Deinen Mut, deinen Schutz brauche ich jetzt nicht mehr, denn er kann mir nicht mehr helfen. Aber, Gabriel, bete für mich, daß Gott mir seine Hand und vor allem seinen Schutz nicht versagt.«

Dumont starrte ihn erschrocken an. »Du gibst dich, gibst unsere Sache verloren?«

Riel lächelte schwermütig. »Du kennst unser altes Metis-Lied, Gabriel?

›Die gold'ne Lilie der Prärie verblüht,
noch eh' das Aug' sich satt an ihrem Golde sieht.
Will's Gott, wird sie aus ihrer Wurzel sich erneu'n.
Wir aber werden uns daran nicht mehr erfreu'n.‹ . . .

Unsere Sache, die Metis-Sache, ist in guten Händen, in stärkeren Händen, als es die meinen sind. In der Manitoba-Akte sind alle Rechte unseres Volkes gesichert. Das wollte ich erreichen. Meine Aufgabe ist erfüllt. Was bedeutet da mein Schicksal? Leb wohl, Gabriel! Wir haben, glaube ich, einen guten Kampf für eine gerechte Sache gekämpft. Aber nun ist der Kampf vorüber . . . Die Lilie hat geblüht. Jetzt kommt die Zeit, wo ihre Wurzel in der Erde neue Kraft zu neuer Blüte sammeln muß.«

Schließlich waren von den Männern, die den Aufstand der Metis ausgelöst und die Red-River-Republik gegründet hatten, nur noch zwei im Fort Garry: Louis Riel und O'Donohue. Beide hielten im Grunde nur noch aus, weil sie auf ein Wunder warteten: Riel auf das Eintreffen des Gouverneurs Archibald; O'Donohue darauf, daß die irischen Freischaren endlich über die Grenze vorgingen und dem Dominion Kanada in letzter Stunde Manitoba doch noch streitig machten. Jeder der beiden glaubte zutiefst schon längst nicht mehr daran, daß sich dieses Wunder ereignete. Aber keiner wagte es dem anderen einzugestehen.

Am Mittag des 24. August standen sie beide nebeneinander an einem Fenster des ehemaligen Verwaltungsgebäudes der HBC und schauten auf die Prärie hinaus, über die auch an diesem Tag wie schon seit mehr als einer Woche dichte Regenschleier aus tiefhängenden blei-

grauen Wolken dahinzogen. Beide wußten seit dem
Abend des vergangenen Tages, daß sie vergeblich auf ein
Wunder in letzter Stunde warteten: Die Vorhuten der
irischen Freischärler-Armee waren von den Grenztruppen
der Vereinigten Staaten abgefangen und bei Pembina
entwaffnet worden. Das Gros lag seitdem bewegungslos
irgendwo in Minnesota. Die Vereinigten Staaten dachten
also gar nicht daran, sich in einen etwaigen Red-River-
Konflikt hineinziehen zu lassen. Und wo blieb Gouverneur Archibald? Er hatte den Wettlauf mit Oberst Wolseleys Truppe verloren und konnte frühestens am 3. September im Fort Garry eintreffen. Wolseley hingegen
stand dicht vor Winnipeg.
Trotzdem trug Riel in der Brusttasche den Text einer
wohlabgewogenen Begrüßungsansprache, mit der er den
Oberst willkommen heißen wollte. Die Tore des Forts
standen weit offen und unbewacht. Als sich die Regen-
wolken ein wenig lichteten, sahen Riel und sein Gefährte
die Soldaten kommen.
»Die Herren der Welt nehmen Besitz vom Red River«,
sagte O'Donohue bitter. »Ja, sie kommen als Eroberer!
Glaubst du es immer noch nicht, Louis Riel? Schau doch
genau hin, du Träumer! Kommen so Freunde, Beschützer
heran?«
Selbst dem nicht sonderlich kriegskundigen Auge Riels
konnte nicht entgehen, daß sich Wolseleys Vorhut keineswegs zu einem parademäßigen Aufmarsch bereit-
stellte, sondern zum Sturm auf eine Festung. Scharf-
schützen schwärmten aus und besetzten Buschwerk und
Baumgruppen zwischen dem Dorf Winnipeg und dem
Fort. Die übrigen Kompanien gingen in Gefechtsforma-
tion in Stellung und pflanzten die Bajonette auf. Im Hin-

tergrund wurde eine Kanone in Stellung gebracht. Dann ertönte ein Hornsignal. Die Truppe setzte sich in Bewegung.

»Siehst du, so rückt der Frieden heran, den uns der Herr Oberst verheißen hat«, sagte O'Donohue höhnisch. »Ich würde es freilich eher für eine Strafexpedition halten, und ich glaube, die da drüben sehen es auch nicht anders. Komm, Louis! Wir müssen fort, wenn wir unser Abendessen heute nicht hinter vergitterten Fenstern einnehmen wollen, sofern man uns noch eines gönnt und uns nicht lieber gleich anstelle der Fahne unserer Republik an den Flaggenmast hängt.«

Riel zögerte noch, obwohl O'Donohue versuchte, ihn am Arm mit sich zu ziehen. Doch nun stürzte Baptiste Delorme schlammbespritzt und durchnäßt herein und rief: »Um Gottes willen, Herr Präsident, folgen Sie mir! Fliehen Sie! Vor einer Stunde habe ich von einem Freund in Kildonan glaubwürdig erfahren: Wenn man Sie hier antrifft, wird man Sie verhaften, Ihnen noch heute den Prozeß machen, und morgen wird man Sie an den Galgen bringen. Das ist beschlossene Sache. Mein Freund hat selbst gehört, wie Wolseley das sagte. Ich bin sofort herübergeritten, um Sie in Sicherheit zu bringen.«

Baptiste und sein Freund Lebleu beluden sich mit dem geringen Gepäck. Dann schlichen sich die vier Männer durch das südliche Tor des Forts davon. Da aufs neue dichter Regen einsetzte, kamen sie ungesehen zum Red River, setzten über und begaben sich sofort zur Residenz des Bischofs.

»Sie sind doch nicht etwa geflohen, Riel«, fragte Taché empört. »Sie hatten mir doch versprochen, die Regierungsgewalt in aller Ordnung zu übergeben . . .«

»Ja, wir haben es vorgezogen zu fliehen«, antwortete
Riel ruhig. »Denn wir haben jetzt volle Klarheit darüber,
daß man uns alle — Sie, mich, die Metis — wieder ein-
mal schmählich getäuscht hat.«
»Das kann nicht sein, mein Sohn! Premierminister Mc-
Donald hat mir doch gesagt . . .«
»Gesagt wohl, Eminenz, aber er hat es Ihnen nicht
schriftlich gegeben! Lassen Sie sich morgen von Oberst
Wolseley darüber belehren, was man in Ottawa in
Wahrheit denkt . . . Und behüten Sie meine Mutter und
meine Schwestern«, fügte er leise hinzu, ehe er sich zur
Tür wandte, um seine Flucht fortzusetzen.
Bischof Taché war mutig genug, noch am selben Abend
bei Oberst Wolseley vorstellig zu werden, um von ihm
die Zusicherung zu erhalten, daß die Bevölkerung nichts
von der Truppe zu befürchten habe.
»Das kann ich Ihnen nicht versprechen, Eminenz«, erklärte der Oberst kühl. »Meine Truppe ist bitter enttäuscht, daß Riel und seine Komplizen entwischt sind.
Und ich selbst«, fügte er hinzu, ohne daran zu denken,
daß er seinen Zug durch die Wildnis vor wenigen Wochen ausdrücklich als eine Friedensmission deklariert
hatte, »ich selbst bin froh, daß dieser Riel mir nicht ent-
gegenkam, um mich zu begrüßen, wie es angeblich seine
Absicht war. Dann hätte ich ihn nämlich nicht so behandeln können, wie er es verdiente. Statt ihn gleich an den
nächsten Baum aufzuknüpfen, hätte ich ihm den Prozeß
machen müssen. Aber als Hochverräter und Rebell gegen
Ihre Majestät die Königin hätte er auf jeden Fall baumeln müssen.«

Prophet der Prärien

Vier Reiter kamen am vierten Tag

Der Winter war hart und lang gewesen in den Bergen Montanas. Erst im Mai lockerte sich sein würgender Griff allmählich. Aber die Nächte waren immer noch frostig; in der Frühe lag Reif auf dem Erdboden, und auf den Gewässern stand dünnes Eis.

Als Louis Riel am Sonntag, dem 4. Juni 1884, erwachte und vor die Hütte trat, die er seit dem September des Vorjahrs bewohnte, war zum erstenmal kein Frosthauch mehr in der Luft, sondern nur noch der süße Geruch grünender Pflanzen, feuchter Erde und strömenden Wassers. Mit einem lange schon nicht mehr gekannten Gefühl der Befreiung und der Dankbarkeit atmete Riel diesen Duft tief ein, ehe er ins Haus zurückkehrte, um sich für den gewohnten sonntäglichen Gang zur Frühmesse anzukleiden.

Während des Gottesdienstes in der Kapelle der Missionsstation St. Peter zupfte ihn plötzlich ein Indianerjunge am Ärmel und forderte ihn flüsternd auf, ins Freie zu kommen: »Vier fremde Reiter halten draußen und fragen nach Ihnen, Monsieur«, sagte der Junge drängend, als Riel ihn abweisen wollte. »Und der eine hat zu mir gesagt: Richte ihm aus, Gabriel Dumont ist da mit einer Botschaft der Metis.«

Riel fuhr zusammen, als dieses Stichwort fiel, und verharrte einen Augenblick lang wie erstarrt. Er meinte den

Wink des Schicksals, den Anruf Gottes wie den sausenden Flügelschlag eines herabstoßenden Adlers zu vernehmen. Mit geschlossenen Lippen murmelte er ein Gebet. Dann erhob er sich und verließ leise die Kapelle.

Obwohl annähernd vierzehn Jahre vergangen waren, seit er die Kampfgefährten der »Rebellion am Red River« zuletzt gesehen hatte, erkannte er die vier Metis-Reiter auf den ersten Blick, die neben ihren Pferden im Schatten der Kapelle standen. Gabriel Dumonts hochgewachsene Gestalt hatte sich kaum merklich gebeugt, obwohl er nun fast achtzig Jahre zählte, und auch dem kleinen stämmigen Moise Ouellet sah man nicht an, daß er die Last von 93 Lebensjahren zu tragen hatte. Nur Michel Dumont und James Isbister waren sichtlich gealtert, grauer geworden und grimmiger.

Die vier aber erschraken, als sie Louis Riel aus der Kirchentür treten sahen: Obwohl erst 35 Jahre alt, wirkte seine gebeugte Gestalt wie die eines müden Greises. Daß die vierzehn Jahre seit seiner Flucht aus Fort Garry so tiefe Spuren hinterlassen hätten, mochte keiner von ihnen geahnt haben. Zwar trug er noch das gleiche etwas absonderliche Kostüm wie damals: die schwarze Soutane mit weißseidenem Halstuch und an den Füßen weiche, braungraue Indianer-Mokassins. Doch sein Gesicht verbarg sich fast ganz hinter einem dichten und langen Vollbart, den ebenso wie das volle Haupthaar graue Fäden durchzogen, und tiefe Falten zerkerbten Stirn und Wangen. Seine einst so bezwingend leuchtenden Augen lagen tief in den Höhlen, matt und ohne Glanz, und über dem ganzen Gesicht breitete sich wie ein verdüsternder Schleier der Ausdruck einer tiefen Melancholie.

Sie umarmten und küßten sich nach französischer Sitte,

und jetzt erst, aus nächster Nähe, nahmen die vier Reiter wahr, daß tief auf dem Grund der Augen des Mannes, der einst ihr aller mitreißender Sprecher und Anführer gewesen war, doch noch ein Rest der alten Glut lebte. Von der Wiedersehensfreude aufgefrischt, flammte sie auf und strahlte Wärme aus.

Riel führte die Gäste zu seinem Haus — aber nicht hinein, sondern nur in den Garten, über dessen frisches Grün warm der Frühsommerwind strich. »Wir haben nur einen einzigen Raum in dieser Hütte«, erklärte er entschuldigend. »Und wir sind zu arm, um Gäste so zu bewirten, wie es sich gehört ... Außerdem kommt das, was ihr mir zu sagen habt, wohl besser unter freiem Himmel zu Wort.«

Dumont berichtete in knappen Sätzen von den Vorgängen in Saskatchewan, die es den dort ansässig gewordenen Metis schließlich nahegelegt hatten, sich an Riel zu wenden. »Es ist im Grunde die alte bittere Geschichte, die wir drüben am Red River schon einmal erlebt haben«, schloß Dumont. »Man hat in Ottawa aus Erfahrungen noch immer nichts gelernt. Noch immer verweigert man uns Metis das Recht, als freie und gleichberechtigte Staatsbürger selbst zu bestimmen, wie wir unser Leben gestalten wollen. Noch immer will man uns das Recht auf Grundbesitz, auf Zweisprachigkeit in Justiz, Verwaltung und Schulwesen versagen. Noch immer möchte man uns mit den Indianern gleichstellen und uns in Reservate abschieben. Nur eins ist diesmal anders als damals in Manitoba: Wir haben die Mehrzahl der weißen Siedler auf unserer Seite. Auch sie fühlen sich von der Regierung in Ottawa getäuscht und schlecht behandelt, die mit Saskatchewan wie mit einer eroberten Kolonie verfährt. Und der alte Groll zwischen Metis und Indianern ist endlich überwunden! Wir werden die Cree und die Schwarzfüße als Bundesgenossen haben, sollte es zum Kampf kommen. Aber der blutige Zusammenstoß läßt sich vermeiden, wenn wir einen Wortführer haben und einen Kopf, der uns zusammenzuhalten und uns zu lenken vermag.

Das Volk, dein Volk, Louis Riel, ruft nach dir! Denn nur du kannst dieser Wortführer, dieser Kopf sein! Das ist uns während unserer Versammlungen und Beratungen immer klarer geworden. Kehre zurück zu deinen Metis, Louis Riel! Komm mit uns, und nimm den Ruf an, den wir vier im Namen des Volkes von Saskatchewan zu dir tragen! Diesmal darf es kein Gezänk, kein Aus- und Abweichen in unseren Reihen geben. Diesmal muß von Anfang an gekämpft werden — gekämpft mit Worten und, wenn nötig, mit Waffen, damit man uns den Sieg, unser Recht nicht wieder entwinden kann wie damals am Red River.«

Der alte »König der Prärie« hat sich in Feuer geredet. Er erwartete, Louis Riel werde sich daran entflammen. Doch wenn Dumont bisher noch nicht gespürt haben mochte, daß nicht mehr der frühere, der junge Louis Riel vor ihm stand — jetzt mußte er es einsehen.

Riel flammte nicht auf. Er starrte vielmehr versonnen in die Ferne und antwortete schließlich murmelnd, kaum verständlich: »Ihr seid mehr als 600 Meilen geritten, um mir diese Botschaft zu überbringen. Zu viert seid ihr geritten; zu viert seid ihr am vierten Tag des Monats bei mir eingetroffen. Nun bittet ihr mich, mit euch zu reiten, damit aus vier fünf werden. Soll dies ein Wink des Himmels sein? Ja, es ist ein Wink! Anders kann ich es mir nicht deuten. Ist ein Zeichen, daß meine Gebete erhört sind. Am vierten Tag dieses Monats kamt ihr. Am fünften Tag will ich euch meine Antwort geben. Habt also Geduld bis morgen.«

Dumont hatte ein feuriges Ja erwartet. Nun sahen er und seine Gefährten sich befremdet an. Gewiß, sie verstanden, daß es Riel nicht leichtfallen mochte, sich zu entscheiden. Sie wußten ja, was er in den vergangenen Jahren gelitten hatte, und sie ahnten zumindest, wie schwer es ihm gemacht worden war, sich wieder ein wenig äußere Sicherheit, Achtung und festen Stand im Leben zu erringen.

Nicht daß er sich Bedenkzeit erbat, befremdete sie, wohl aber seine so rätselhaft verschlüsselte Antwort. War dieser seltsam verwandelte Mann wirklich der Anführer, den die Metis von Saskatchewan brauchten, um im Kampf um ihr Recht zu bestehen? Wo waren die Energie und die Umsicht geblieben, die Riel seinerzeit am Red River bewiesen hatte?

Ihr Vertrauen wankte. Es kehrte erst wieder zurück, als Riel sie am Nachmittag dann doch in das Haus führte, das er sein Heim nennen mußte. Alle vier waren tief erschrocken, als ihnen die Augen aufgingen für die schäbige Armut, in der der Held ihres Volkes lebte.

James Isbister hat es später ausgesprochen, wie sehr dieser Anblick ihnen ans Herz griff: »Im ganzen Haus gehörte ihm nur ein winziger, dürftig ausgestatteter Raum, der zugleich als Küche, Wohnzimmer, Schlaf- und Arbeitsraum dienen mußte. Jeder von uns mußte dabei unwillkürlich an die Möglichkeiten denken, die Riel zu Gebote standen, als er am Red River obenan war. Damals hätte er die Grundlage zu einem Vermögen schaffen können, denn Landbesitz war dort leicht und billig zu erwerben. Doch er hat weder damals noch später an sich, er hat immer nur an sein Volk gedacht. Wir schämten uns angesichts seiner Armut unseres Mißtrauens. Wer eines solchen Opfers fähig war wie er, der verdiente unser Vertrauen, mochte er sich auch manche Schrullen angewöhnt haben.«

„Lieber in einem Dorf der Erste ..."

Die Jahre der Verfolgung und Verbannung mit ihrer Einsamkeit und ihren Nöten hatten Riels Sendungsbewußtsein nicht brechen können. Sie hatten es vielmehr noch gesteigert, denn es war das einzige, woran er sich halten konnte. Deshalb bestätigte ihm die Botschaft der vier Reiter jetzt nur, was er seit Jahren unbeirrt erwartete: die Sendung, zu der er sich von Gott berufen fühlte — das Volk der Metis aus dem Dunkel der Mißachtung ins Licht der Freiheit zu führen, diese Sendung war nur aufgeschoben gewesen, nicht aber entfallen. »Das in die Wüste verstoßene Volk hat aufs neue nach seinem David gerufen«, schrieb Riel seiner Mutter bald danach voll Stolz.

Sein Gefühl schrie deshalb danach, diesen Ruf mit einem rückhaltlosen »Ja, ich komme!« zu beantworten. Aber sein Verstand riet ihm zur Vorsicht. Zwar brauchte er kaum noch zu befürchten, man werde ihn auf kanadischem Boden erneut wegen der Rebellion am Red River unter Strafandrohung stellen. Die Strafe der fünfjährigen Verbannung, die man damals über ihn verhängt hatte, war ja längst verbüßt. Doch Riel war sich darüber klar, daß man auch in Saskatchewan all das wieder gegen ihn ins Feld führen würde, womit er schon am Red River zu kämpfen hatte: Verleumdung, Morddrohungen, Intrigen. Und wenn er ganz nüchtern und ehrlich die Aussichten abwog, den Kampf diesmal erfolgreicher als am Red River zu führen, dann mußte er sich eingestehen, daß man des Sieges nicht so sicher sein durfte wie Dumont. Das Dominion Kanada war jetzt stärker und in sich geschlossener als damals.

Riel war sich auch darüber klar, was eine Niederlage für ihn bedeuten mußte: den endgültigen Untergang, den Verlust aller Hoffnungen, den kein Mann überlebt, selbst wenn er danach noch Jahre hindurch atmet, sich nährt und dies und jenes tut.

Und für solch eine zweifelhafte Aussicht sollte er opfern, was er sich hier in Montana unter endlosen und oft entwürdigenden Mühen errungen hatte? Es in die Waagschale werfen wie ein Spieler, der verzweifelt seine letzte Hoffnung auf eine einzige Karte setzt?

Voll Scham und Ekel erinnerte er sich daran, daß er jahrelang wie ein vom Wind gescheuchtes dürres Blatt durch die Vereinigten Staaten geirrt war — ein Bettler, der sich vom Wohlwollen einiger weniger Freunde und Glaubensgenossen kümmerlich genug ernährte. Als er spürte, daß er nahe daran war, bei solchem Parasitendasein seine Selbstachtung einzubüßen, war er 1879 endlich aus dem Bereich der städtischen Zivilisation des amerikanischen Ostens in das Grenzerland von Dakota und Montana geflüchtet. Hier mühte er sich, sein tägliches Brot nach Grenzer- und Metis-Art zu erwerben. Es gelang ihm jämmerlich schlecht, denn für all das, was er unternahm, war ein Mann seiner Art nun einmal nicht geschaffen. Nacheinander war er Holzfäller, Schafhirt, Büffeljäger, Hausierer und Dolmetscher. Länger als ein paar Wochen duldete ihn keiner dieser Berufe. Zum Holzfäller, Hirten und Jäger fehlten ihm die Muskelkräfte und die Geschicklichkeit der Hände, zum Hausierer die Skrupellosigkeit und die Zähigkeit des Feilschens. Und als Dolmetscher für Indianer und Metis machte er sich bei den Amtsstellen bald verdächtig und mißliebig, weil er sich, statt unparteiisch zu übersetzen, allzu bereitwillig dort zum Anwalt, ja, Agitator aufschwang, wo er eine Ungerechtigkeit witterte.

Diese demütigende Wanderung fand erst ein Ziel, als er auf einer seiner Hausiererfahrten unweit der katholischen Indianermission St. Peter im Haus eines Metis-Jägers gastfreundlich aufgenommen wurde.

Jean Monette, genannt Belle Humeur — »Frohsinn« —, stammte wie Riel aus Manitoba. Als nach der »Eroberung« der Red-River-Republik durch kanadische Truppen eine Welle übler Drangsalierungen über die Metis-Bevölkerung und vor allem über die erklärten Anhänger Riels hereinbrach, war Monette gleich einigen hundert anderen Metis-Vätern samt seiner Familie im Jahr 1871 nach Süden über die Grenze der Vereinigten Staaten gezogen. Die meisten dieser Emigranten lebten nun weit verstreut in Montana und Dakota.

Nach jenem ersten Besuch kehrte Riel noch oft nach St. Peter zurück, denn es gab dort zwei Menschen, deren Dasein ihn ein wenig mit der fruchtlosen Unruhe seines Lebens im Grenzerland aussöhnte — den Jesuitenpater Damiani, dem die Missionsstation unterstand, und Jean Monettes Tochter Marguerite.

Wie viele Metis-Mädchen in der Blüte ihrer Jahre, soll die damals neunzehnjährige Marguerite »sehr hübsch und stattlich, aber sehr dunkel« gewesen sein. Ihre Mutter war nämlich eine reinblütige Cree-Indianerin. Marguerite konnte weder lesen noch schreiben, und als Riel sie kennenlernte, sprach sie nur die Sprache ihrer Mutter. Erst mit seiner Hilfe eignete sie sich etwas Französisch und Englisch an.

Die wenigen Zeitgenossen, die von Riels Ehe mit dieser Frau überhaupt Notiz genommen haben, stimmen darin überein, daß Marguerite »sehr schüchtern und schweigsam war und sich stets im Schatten ihres Mannes hielt, den sie scheu verehrte. Aber sie besaß ein so mütterlich liebevolles und gebefreudiges Herz, daß sie sich nur dann glücklich fühlte und ganz gelöst gab, wenn sie ihre eigenen Kinder und dazu noch einige andere Metis- und Indianerkinder um sich versammelt sah.«

Es ist sehr wahrscheinlich, daß mehr als alles andere dieses mütterliche Wesen Marguerite für Louis Riel anziehend machte und ihn für sie. Riel war und blieb bis zum Ende seiner Tage ein Muttersohn und gehörte zu jenen Männern, die auch in der Geliebten und Ehefrau vor allem die Mutter suchen. Seit mehr als einem Jahrzehnt von seiner leiblichen, sehr geliebten und verehrten Mutter räumlich getrennt, sehnte er sich nach einem Ersatz. Marguerite hingegen mag wohl bald gespürt haben, daß dieser feinfühlige, intelligente Mann, dessen überlegene Klugheit, Bildung und Phantasie sie staunend verehrte, wie ein verlaufenes Kind die warme, fürsorgliche Hand einer Frau brauchte und daß gerade sie ihm diese Fürsorge kraft ihres Wesens trotz ihrer bescheidenen Geistesgaben zu schenken vermochte. Es ist bezeichnend für das

Verhältnis der beiden zueinander, daß Riel Marguerite, wie Augenzeugen bekunden, stets mit einer Höflichkeit behandelte, die im »Wilden Westen« alles andere als alltäglich und selbstverständlich war. So wurden diese so verschieden gearteten Menschen für die wenigen Jahre der Gemeinsamkeit, die ihnen vergönnt waren, einander gute Gefährten, die sich redlich zu ergänzen suchten, nachdem Pater Damiani ihren Bund gesegnet hatte. Am 9. Mai 1882 wurde ihr erstes Kind, ein Sohn namens Jean, getauft; im September 1883 folgte eine Tochter, Marie Angélique.

Pater Damiani hatte inzwischen Riels Vertrauen so weit gewonnen, daß er es wagen durfte, den ehemaligen Präsidenten der Red-River-Republik und nunmehrigen Hausierer nach der Hochzeit ungescheut zu fragen, wie Riel sich seine und seiner Familie Zukunft vorstelle: »Meinen Sie nicht, daß Sie Ihre Gaben verschwenden, wenn Sie fortfahren, mit Ihrem Kramladen über Land zu ziehen und Tabak, Kochtöpfe und Nähgarn zu verhökern?«

»Mir wird nichts anderes übrigbleiben«, erwiderte Riel resigniert. »Ich habe ja außer der Politik nichts Rechtes gelernt — zumindest nichts, was hier brauchbar ist.«

»Sie kennen meine Meinung, daß ein Mensch Ihrer Art von der Politik besser die Finger läßt«, erwiderte Damiani unverblümt. »Dazu ist Ihr Gewissen nicht robust genug, und wohin Sie Ihr Ehrgeiz geführt hat, der Erste Mann eines Staates zu sein, haben Sie ja schmerzhaft genug zu spüren bekommen.«

Riel warf den Kopf unwillig zurück. »Ich habe mich nie von der Devise leiten lassen: Aut Caesar, aut nihil. Ich hatte immer nur den einen Ehrgeiz, meinem Volk, den Metis, zu dienen.«

»Täuschen Sie sich da nicht doch über sich selbst?« fragte der Pater skeptisch. »Aber gut, ich will's gelten lassen, doch Sie gleich beim Wort nehmen — bei dem Wort dienen nämlich. Ich wüßte, wie Sie Ihrem Volk — den Metis also und den Indianern — dienen könnten und dabei zugleich für Ihre Familie das tägliche Brot erwerben. Es ist freilich nur ein bescheidener Dienst: Saat auf Hoffnung und Zukunft, deren Ernte Sie und ich wahrscheinlich nicht mehr erleben werden. Aber sie ist unerläßlich, wenn Ihr Volk einmal das erringen soll, was Sie ihm mit den Mitteln der Politik vergeblich zu schaffen suchten: Freiheit und festen Stand in den Bedrängnissen dieser unruhigen Welt.«

»Und was wäre das für ein Dienst, den Sie mir vorschlagen?«

»Übernehmen Sie den Elementar-Unterricht für die Indianer- und Metis-Kinder in St. Peter! Bringen Sie ihnen Lesen, Schreiben, Rechnen und Englisch bei! Unsere Laienbrüder und die Ursulinen-Schwestern, die bald kommen werden, sollen die Jungen und Mädchen außerdem in Haushaltführung, Landwirtschaft und verschiedenen Handwerken unterweisen. Kinder, die so unterrichtet sind, werden der Welt später besser gerüstet entgegentreten als ihre Väter, deren Weg von Niederlagen und Demütigungen gezeichnet war. Wollen Sie wirklich nichts anderes, als Ihrem Volk redlich dienen, Louis Riel, dann versagen Sie sich dieser Aufgabe nicht! Ich glaube, ich darf Ihnen getrost prophezeien: Versehen Sie diesen Dienst mit aller Hingabe, dann werden Sie hier in St. Peter der Erste sein und an sich erfahren, wie recht Julius Cäsar mit seinem Ausspruch hatte: Lieber in einem Dorf der Erste, als in Rom nur der Zweite. Wie teuer man für hochfliegenden Ehrgeiz bezahlen muß, diese Erfahrung haben Sie hoffentlich beherzigt.«

Riel nickte, aber er täuschte sich, wie so oft schon, auch diesmal über sich selbst. Doch das ahnten damals weder der Pater Damiani noch Riel. Riel griff nach dem Posten eines Dorfschullehrers wie ein Ertrinkender nach dem Rettungsring — ehrlich bereit, jedem politischen Ehrgeiz für immer zu entsagen, und froh, daß er Marguerite ein Stück Brot sichern konnte.

Was Pater Damiani ihm in jener Stunde prophezeit hatte, begann sich schon nach einem Jahr zu bewahrheiten. Riel wurde ein guter Lehrer, der seine Schüler mit Geduld und warmherziger Liebe anleitete. Die Eltern dankten ihm dies durch ihren Respekt, und sie verehrten ihn, weil er stets ein offenes Ohr für ihre Sorgen und Nöte hatte.

Als die vier Metis-Reiter ihm am 4. Juni 1884 ihre Botschaft überbrachten, war Louis Riel auf dem besten Weg, sich in St. Peter eine Stellung zu schaffen, die ihm zwar nicht Ruhm oder Reichtum, wohl aber Befriedigung verhieß. Er wußte dies, und deshalb zögerte er eine ganze Nacht lang mit der Antwort, zu der ihn sein starkes Sendungsbewußtsein von der ersten Minute an drängen wollte.

Die Audienz beim „Holzindianer"

Am nächsten Morgen sprach Riel sein Ja — mit Einschränkungen freilich, in denen sich Vernunft und Vorsicht noch einmal Geltung zu verschaffen suchten.

»Ich will versuchen, euch zu helfen«, eröffnete er Du-

mont. »Aber im September muß ich nach St. Peter zurückkehren. Dann beginnt nämlich das neue Schuljahr,
und da muß ich zur Stelle sein. Und ich kann auch erst
heute in acht Tagen mit euch aufbrechen. Das Schuljahr
geht mit dieser Woche zu Ende, und Pater Damiani wie
auch meine Schüler dürfen mit Recht erwarten, daß ihr
Schulmeister nicht einfach fortläuft wie ein pflichtverges-
sener Dienstbote.«

Marguerite packte die geringe Habe der Familie zusammen. Das größte und schwerste Gepäckstück war eine
verschließbare Kiste, bis zum Rand mit Schriftstücken gefüllt. Für Marguerite bedeuteten sie nichts. Da Louis jedoch sagte, sie seien wichtig — »Mein eigentliches Leben,
Liebe« —, bündelte sie die zahllosen, von seiner Hand
beschriebenen Blätter besonders sorgfältig.

Diese Manuskripte belegten, daß Louis Riel im Grenzerland von Dakota und Montana ein Doppelleben führte.
Tagsüber war er dem täglichen Brot nachgejagt; abends
aber und nachts rang er mit der Feder in der Hand
darum, sich über Quellgrund und Zukunftsträchtigkeit
seiner Träume Klarheit zu verschaffen und Rechtferti-
gung für sie zu finden.

Dieses geistige Ringen schlug sich zumeist in Versen religiösen Inhalts nieder. Riel begann jedoch auch, die Geschichte seines Lebens und seines Volkes niederzuschrei-
ben. Nur Bruchstücke davon, die er für seine Mutter ab-
schrieb, haben sich erhalten. Sie bezeugen, daß er sich,
von Einsamkeit und Not gepreßt, aufs neue und noch
eindringlicher als früher bemühte, Wesensart und Le-
bensaufgabe seiner Metis und damit seiner eigenen Existenz zu ergründen. Je tiefer er sich darin versenkte, um
so klarer meinte er auf Grund seiner persönlichen Erfah-

rungen zu erkennen, daß er selbst und das Volk der Metis bisher einen Irrweg gegangen waren.

Riel hatte alles Heil für seine Metis ausschließlich bei den Weißen gesucht — und das nicht nur, weil in den Händen der Weißen die politische und wirtschaftliche Macht lag. Er hatte vielmehr, wie sein Vater und die meisten Metis überhaupt, das europäische Geistes- und Charaktererbe der Metis für den wertvolleren, fruchtbareren Teil ihrer Wesensart gehalten. Dadurch war er verleitet worden, nur um die Bruderschaft der Weißen zu werben, die der Indianer jedoch zu vernachlässigen, ja, zu mißachten.

Sein Vertrauen auf die Großmut der Weißen, ihre Klugheit, ihren Gerechtigkeitssinn und ihre christliche Gesinnung war jedoch schmählich enttäuscht worden. Sie hatten rücksichtslos nur ihren Vorteil gesucht und in den Metis weder Brüder im Glauben noch Blutsverwandte sehen wollen. Weder Anstand noch Klugheit hatten sie dazu bringen können, ihren Hochmut und ihre Macht- und Besitzgier zu dämpfen, geschweige denn zu überwinden. Für seine anderen Blutsverwandten, die Indianer, hatte er — unbewußt dem Vorbild seines Vaters und der Überlieferung der Metis folgend — nur Mißtrauen und milde Verachtung übrig gehabt. Sie waren in den Augen der Metis Wilde, weil sie Heiden geblieben waren.

Erst jetzt gingen Riel zu seiner Beschämung die Augen dafür auf, daß er niemals aufrichtig am Schicksal der Indianer Anteil genommen hatte, obwohl sie unter dem harten Zugriff der Weißen schon länger und mehr litten als die Metis. Er hatte in ihnen vielmehr die von der Natur gesetzten Feinde seines Volkes gesehen, die es zu bekämpfen und niederzuhalten galt. Während der ganzen Red-River-Rebellion war ihm nie der Gedanke gekommen, sich mit den Cree-Indianern der Wälder oder den Schwarzfußindianern der Prärie gegen die Weißen zu verbünden. Ihm wie seinen Landsleuten wäre ein solches Bündnis als Verrat an der Zivilisation erschienen, der sie sich zugehörig fühlten. Nicht einmal als Mittel politischer List schien ihm ein solches Bündnis damals erlaubt.

Erst hier in Montana war er zum erstenmal ganz eng mit Indianern in Berührung gekommen. Hier sah er deutlicher als in seiner Heimat am Red River, wie rüde die Indianer von den Weißen übervorteilt und beiseite gedrängt wurden. Hier aber durfte er auch zum erstenmal einen tiefen Blick in ihre Denkweise und ihre Überlieferungen tun. Ihm, von dem sie wußten, daß er sich gegen die Willkür der Weißen tapfer aufgelehnt hatte, trauten sie; ihn ließen sie teilhaben an ihren Sorgen, ihren Hoffnungen. Hier hörte er auch zum erstenmal von Wowoka und seiner neuen Lehre. Ein Schwarzfußindianer, der ihn auf einer seiner Hausierfahrten begleitete, erzählte ihm scheu flüsternd davon.

Die Lehre des Navajo-Schafhirten Wowoka besagte dies: Daß Gott sich in Christus den Völkern offenbart, ist wahr — zuerst den Juden, dann den Europäern, zuletzt den Indianern. Da Juden wie Europäer die durch Christus ihnen offenbarte Weisheit Gottes abgelehnt oder verraten und mißbraucht haben, sind jetzt die Indianer dazu ausersehen, die Lehren Christi zu bewahren und weiterzutragen.

Daß eine solche Lehre dem Geist eines schlichten Indianers entsprungen war, reinigte Riels Denken von den letzten Spuren hochmütiger Verachtung für das Indianertum. Es erhellte ihm zugleich aber auch blitzartig die Mißgriffe seines eigenen Lebens wie die seines Volkes. Im Licht dieser neuen Lehre, die aus den Wachträumen eines Indianers erstanden war, sah er sein Sendungsbewußtsein, seine Zukunftsträume und seine Visionen in ihrer Glaubwürdigkeit unantastbar bestätigt.

Seine Visionen vor allem! Denn das Ereignis, das ihm bisher als das schmerzlichste, demütigendste Unheil seines Lebensganges erschienen war, stellte sich ihm nun als der Stoß dar, der den versteinerten Grund der Seele aufbrach und die gefesselte Quelle zum Sprudeln brachte, die ihm verschlüsselt den Willen Gottes sichtbar machte.

Im Sommer des Jahres 1875 war ihm endlich gelungen, was er seit seiner Flucht vom Red River angestrebt hatte: Der Präsident der Vereinigten Staaten, General Ulysses S. Grant, empfing ihn zu einer Aussprache im Weißen Haus. Diese Audienz kam auf Vermittlung seines Freundes, des Majors Edmund Mallet, zustande. Mallet, ein Frankokanadier aus Toronto, hatte als Freiwilliger im amerikanischen Bürgerkrieg auf der Seite der Nordstaaten gedient und sich dabei mehrfach ausgezeichnet.

Der Major wollte Riel wohl. Er hätte dem Landflüchtigen gern Ruhe und ein Amt verschafft, das ihn ernährte. Eine Aufgabe im Rahmen der Indianer-Treuhandstelle schien ihm dafür am besten geeignet. Auf Mallet ging zudem der Plan zurück, die Metis auf dem Boden der Vereinigten Staaten zu sammeln und anzusiedeln: In Dakota und Montana sollte ihnen eine Heimstätte geschaffen werden, wo sie als geschlossene Volksgruppe ihre Zukunft nach ihrer Weise gestalten konnten. Gemeinsam hatten Riel und Mallet eine provisorische Verfassung für diese Metis-Heimstätte entworfen.

Mallet glaubte, er habe das Gespräch zwischen dem Helden des amerikanischen Bürgerkriegs und dem Heros der Metis so gut vorbereitet, daß es zu einem Ereignis von geschichtlicher Bedeutung werden konnte. Doch diese Stunde stand unter keinem guten Stern.

Wie Mallet ihm dringend geraten hatte, sprach Riel zunächst betont langsam und gemessen. Leider beging er den Fehler, sich zu lange bei dem Unrecht und den Leiden seiner Metis aufzuhalten und zu sehr zu betonen, daß die Nachbarn Kanadas all dem gleichgültig zugesehen hatten. Grant mußte dies als einen Seitenhieb auf die Politik seiner Regierung ansehen. Denn diese hatte sich nach den Feindseligkeiten während des Bürgerkrieges um ein gutes Verhältnis zu England bemüht und deshalb — anders als die öffentliche Meinung ihres Landes — sorgfältig vermieden, während der Rebellion am Red River für die Metis Partei zu nehmen.

Präsident Grant nahm den Vorwurf jedoch schweigend hin. Er kaute nach seiner Gewohnheit an seiner überlangen Zigarre und machte sein berüchtigtes »Holzindianer-Gesicht«, das er immer dann zeigte, wenn er weder Zustimmung noch Ablehnung verraten wollte. Dem impulsiven und sensiblen Riel überkam angesichts dieser Sturheit immer mehr das Gefühl, gegen eine Wand zu reden. Um diesen stummen Widerstand zu überwinden, steigerte er sich in leidenschaftliche Erregung, ja, in Zorn hinein.

Dies wiederum erschwerte es ihm, seine Gedanken in einem korrekten Englisch vorzutragen. Er mischte immer häufiger französische Brocken in seine wirren Sätze. Französisch aber verstand Grant, dem ohnehin seit jeher alles erregt Vorgetragene als Täuschungsversuch verdächtig war, überhaupt nicht.

Schließlich ging die Erregung mit Riel durch. Er sprang auf, schüttelte die Fäuste. Die Adern an seinen Schläfen schwollen an, seine Augen glühten zornig. Seine Sätze wurden immer wirrer, sein Ton immer heftiger. Endlich schlug er sogar mit der Faust auf den Schreibtisch des Präsidenten und schrie: »Wenn Gott es will, werde ich mit meinem Volk zugrunde gehen. Doch ehe es so weit ist, werde ich unsere Feinde angreifen und schlagen, schlagen, schlagen . . .«

In diesem Augenblick sprang die Tür auf, und zwei Offiziere stürmten mit gezogener Pistole herein. Sie dachten wohl, der aufgebrachte Besucher wolle gegen ihren Präsidenten gewalttätig werden. Grant, der Riels wilden Reden mit wachsendem Unbehagen gefolgt war, hatte gleichwohl nicht ein einziges Mal den Versuch gemacht, ihn zu unterbrechen und ihn damit zur Besinnung zu bringen. Jetzt erst erhob er sich, nahm zum erstenmal die Zigarre aus dem Mund und winkte ab: »Es ist alles in Ordnung, meine Herren! Mister Riel hat sich leider — eh, nur ein bißchen gehen lassen.«

Riel begriff nun endlich, welcher Torheit er sich schuldig gemacht hatte. »Verzeihen Sie diesen Ausbruch meiner Gefühle, Mister Präsident«, murmelte er betreten. »Ich werde mich bemühen, ruhig und bei der Sache zu bleiben. Wir haben das eigentliche Thema, wie mein Volk von seinen Leiden erlöst werden kann, ja noch gar nicht erörtert.«

Aber Grant, empfindlich gegen jeden Verstoß gegen die Etikette, unterbrach ihn unwirsch. »Ich bedaure, Monsieur Riel, meine Zeit ist bemessen. Sie sind nicht der einzige meiner Gäste.«

Er führte den erschrocken verstummenden Riel zur Tür

und überantwortete ihn dem Protokollchef, der den Besucher hinausgeleitete. Erst auf der Straße wurde Riel klar, daß er für sich und seine Metis hier in Washington nichts mehr zu erhoffen hatte.

Der Galgenberg

»So jedenfalls mußte ich es damals ansehen, weil mir die Augen noch nicht geöffnet waren für den wahren Sinn dieser Vorgänge«, heißt es in dem Bruchstück seiner Autobiographie, das sich erhalten hat. »Voll Verzweiflung über den Mißerfolg im Weißen Haus, auf dessen Unterstützung ich so große, in Wirklichkeit jedoch ganz unberechtigte Hoffnungen gesetzt hatte, kehrte ich nach New York zurück, wo Freunde mich erwarteten. Ich verfiel in tagelanges dumpfes Brüten und verkroch mich vor allen Menschen.

Doch meine Freunde ließen mich nicht im Stich. Sie verständigten Erzbischof Bourget (den Primas der katholischen Kirche Kanadas) von meinem Mißgeschick. Bourget hatte von jeher mit der Sache der Metis sympathisiert und mir mehrfach seine Anerkennung für mein Wirken ausgesprochen. Um mich wieder aufzurichten, schrieb er mir einen Brief, in dem es hieß: ›Mein Sohn, nicht lange mehr, dann endet Ihre Verbannung. Verlieren Sie deshalb nicht den Mut! Geben Sie sich und Ihre Metis nicht verloren, sondern vertrauen Sie auf Gott. Denn Gott, davon bin ich zutiefst überzeugt, hat Sie dazu ausersehen, Ihr Volk aus Bedrückung und Leid herauszuführen.‹«

Riels von Selbstvorwürfen zerquälte Seele sog diesen väterlich milden Zuspruch gierig auf. Er maß den wohlmeinenden Worten des Kirchenfürsten eine Bedeutung bei, an die der geistliche Herr vermutlich nicht im entferntesten gedacht hatte. Riel aber sah in ihnen einen Wink Gottes, fand in ihnen endlich seinen Kampf so ausgelegt, wie es ihm zukam — als einen Auftrag des Himmels. Also — folgerte er — war er, Louis Riel, mehr als nur ein gewöhnlicher Politiker, eine Zufallserscheinung: Er war ein Auserwählter, von Gott selbst zum Erlöser der Metis berufen!

Diese Berufung sah er bestätigt durch eine Vision, die ihn am 18. Dezember 1875 während des Gottesdienstes in der St. Patricks-Kathedrale zu New York überfiel. »Der gleiche Geist, der Moses im brennenden Dornbusch erschien, stand plötzlich zwischen den Kerzenflammen des Altars vor mir und rief mir zu: ›Erhebe dich von den Knien und folge mir! Ich habe dich erwählt!‹«

Mit dem Schrei: »Gott will es, Gott will es«, fuhr Riel von seinem Betschemel auf und störte die Heilige Handlung. Freunde sprangen hinzu und führten den Unseligen hinaus. Er wehrte sich heftig dagegen, denn noch immer meinte er Gottes Stimme zu vernehmen und antwortete ihr verzückt: »Ja, Vater, ich höre dich! Führe du mich, führe dein Volk aus der Wüste ins Gelobte Land, das du ihm zugedacht hast.«

Mit Major Mallets Hilfe brachte man Riel heimlich nach Montreal. Hier sorgte der frankokanadische Parteiführer Desjardin dafür, daß er unter dem Namen Larochelle in die Heilanstalt Beauport aufgenommen wurde. Im Januar 1878 entließen ihn deren Ärzte als geheilt, »da sich die Erscheinungen des Verfolgungswahns, religiöser

Wahnvorstellungen und manisch-depressiven Irreseins bei dem Patienten während der zweijährigen Beobachtungs- und Behandlungszeit nicht wieder manifestierten«.

Auch Louis Riel sah jene Vision in der Kathedrale, ja, seine visionäre Begabung überhaupt lange als etwas Krankhaftes, als den Ausfluß einer Verstörung des Geistes an. Doch als er sich in Montana in die seltsame Nachfolge-Christi-Lehre des Navajo-Indianers Wowoka versenkte und von Indianern erfuhr, daß bei ihnen Visionen stets als etwas Heiliges gegolten hatten, löste er sich von dieser Anschauung. Er war nun sicher, daß er nicht von Dämonen des Irrsinns verfolgt werde, sondern daß jene Vision ein ebenso glaubwürdiger Anruf Gottes gewesen sei wie der Brief des Erzbischofs Bourget.

Die Visionen und Träume, die den Navajohirten Wowoka zu seiner Lehre geführt hatten, ließen ihn erkennen, daß Gott nicht die Europäer allein, sondern auch die Indianer als seine Kinder ansah und seiner unmittelbaren Anrede würdigte: »Die Gottesstunde der Weißen ist vorüber, die der Indianer hebt jetzt erst an«, heißt es im Fragment seines Lebensberichts. Und er zog aus dieser Erkenntnis den Schluß: Nicht mit den Weißen, sondern mit den Indianern mußten sich die Metis verbrüdern, und er, Louis Riel, war zum Propheten und Blutzeugen des neuen Bundes und seiner Sendung berufen.

»Aber ich darf diesen Bund nicht herbeizwingen wollen, darf nicht mehr wie ein alarmschlagender Trommler durchs Land ziehen«, ermahnte er sich — offensichtlich unter dem Einfluß des Paters Damiani — am Schluß seiner Niederschrift. »Ich muß geduldig warten, bis Gott mir aufs neue ein Zeichen gibt. Meine Arbeit als Lehrer aber soll dem Ziel dienen, Metis und Indianer miteinander zu versöhnen. Sie muß die Kinderseelen für das neue Evangelium der Prärien vorbereiten. Erreicht mich Gottes Aufruf zur Tat zu meinen Lebzeiten nicht mehr, so will ich mit der Gewißheit sterben können, den Acker für die Saat gelockert und fruchtverheißenden Samen ausgestreut zu haben.«

Als solche »Saat auf Hoffnung« sah er auch den Lebensbericht an, den er in St. Peter in kleinen Schüben niederschrieb. Er bereitete sich für jede dieser Arbeitsstunden wie für eine Andacht vor. Dies begann stets mit einem einsamen Gang in die Prärie, der ihn auf eine Anhöhe führte, von wo er einen weiten Blick nach Norden, ins Land seiner Väter, tun konnte. Und jedes Kapitel begann er nach der Weise der frommen mittelalterlichen Stundenbuch- und Evangelienschreiber mit einer großen verschnörkelten und farbig ausgemalten Initiale — nur, daß er dabei statt der Farben Büffelblut verwendete als Zeichen seiner Ehrfurcht vor dem Geschöpf Gottes, das die französischen wie die indianischen Präriejäger ernährt hatte, bis der gierige Zugriff europäischer Händler und Siedler es auslöschte.

Er hatte wohl im stillen erhofft, aber nicht mehr erwartet, daß der »Aufruf Gottes zur Tat« ihn noch vor seinem Tod erreichen würde, denn in den dunklen Stunden, die ihn immer wieder heimsuchten, bedrängte ihn unabweislich das Vorgefühl, ihm sei ein frühes Lebensende bestimmt. Doch nun hatte ihn das Zeichen, der Aufruf früher erreicht, als er es für möglich gehalten hätte — durch die Botschaft der vier Metis-Reiter. »Blieb mir da eine andere Wahl, als diesem Anruf zu gehorchen?«

Dies jedenfalls antwortete er dem Pater Eberschweiler, der ihn in Fort Benton von der Reise nach Norden zurückzuhalten suchte.

»Mein Volk ruft in großer Not nach mir. Darf ich mich ihm versagen? Es vertrösten, vom sicheren Hafen aus zur Geduld mahnen? Ich reise zudem nach Saskatchewan, um Frieden zu stiften.«

Der Pater war indessen nicht so zuversichtlich. Er fürchtete, man werde Metis und Indianer so lange herausfordern, bis sie die Geduld verloren und losschlugen. »Aber einen solchen Kampf könnt ihr nicht gewinnen«, warnte er. »Nehmen wir an, ihr gewinnt jedes Gefecht, verliert dabei aber jedesmal hundert oder auch nur fünfzig Kämpfer als Verwundete oder Tote. Was wird das Ergebnis sein? Daß ihr schließlich aus Mangel an Kämpfern die Waffen strecken müßt!«

»Vater, Ihr seid ein guter Mensch«, erwiderte Riel. »Aber Ihr habt niemals so viel Bitternis, so viele Beraubungen, Ungerechtigkeiten und Demütigungen schlucken müssen wie wir Metis und Indianer. Dies muß einmal ein Ende haben! Und die Zeit ist reif dazu! Wowoka hat die Indianer aus der Betäubung durch Niederlagen und Unterdrückung zu neuem Selbstbewußtsein erweckt. Es gärt bei den Sioux, den Schwarzfüßen und den Cree. Kommt es in Saskatchewan wirklich zum offenen Kampf, dann wird dies auf alle Indianer des Westens wie ein Flammenzeichen wirken. Es wird den allgemeinen Aufstand des roten Mannes auslösen, der ihn allein noch vor dem Untergang zu bewahren vermag. Einer muß dazu das alle aufrüttelnde Zeichen geben — einer, den Gott dazu ausersehen hat, das christliche Reich indianischer Nation auf amerikanischer Erde zu begründen!«

»Und wenn dieser eine im Kampf fällt, was wird dann aus dem Reich, von dem ihr träumt, Louis Riel?«

»Das fragen Sie noch, Vater«, gab Riel unwillig zurück. »Wissen Sie nicht mehr, was die Kirche den Märtyrern, den Blutzeugen verdankt?«

Pater Eberschweiler begleitete den kleinen Wagen- und Reiterzug bis zur Grenze seines Kirchspiels. Er tat dies vor allem aus Mitleid mit Marguerite, die er nicht ohne geistlichen Zuspruch in das verhängnisvolle Abenteuer ziehen lassen wollte, das — wie der Pater meinte — »rastloser Ehrgeiz und fehlgeleitetes Sendungsbewußtsein Riels für die Familie heraufbeschwor«.

Auf diese Weise auch wurde Eberschweiler einer der wenigen glaubwürdigen Zeugen für die prophetischen Visionen Louis Riels. Der Pater berichtet davon: »Als ich mich von Marguerite und ihren Kindern verabschiedet hatte und mich Riel zuwandte, um auch ihm noch einmal die Hand zu reichen, stand er am Wegrand und starrte zu einer kahlen Anhöhe hinauf, die das Tal nach Norden hin begrenzte. Er war so in den Anblick versunken, daß er nicht wahrnahm, wie ich neben ihn trat.

Sein Gesicht wirkte erloschen und entrückt zugleich — wie das eines Sterbenden, den vor dem Tod graut und der doch die Erlösung ahnt. Ich wagte nicht, ihn anzusprechen. Doch da weckte ihn Dumonts Pferd durch übermütiges Wiehern aus dieser düsteren Entrückung. Er strich mit der Hand über die Augen und sah mich, wie aus weiter Ferne mühsam zurückfindend, verwirrt an. Ein Schauder schüttelte ihn, und er sagte leise, mit schwerer Zunge: ›Betet für mich, Vater, betet für mich! Ich sah einen Galgen droben auf jener Anhöhe stehen, und an diesem Galgen hing ein Mensch, hing ich.‹«

Der Prophet der Prärien

Die Nachricht von seiner Rückkehr lief ihm schnell und weit voraus, und so wurde er von einigen hundert Metis bereits erwartet, als er am 22. Juni 1884 in die Siedlung Batoche am Südlichen Saskatchewan-Fluß einritt, die er sich als Hauptquartier ausgewählt hatte. Als er schon am nächsten Tag zu einer ersten Ansprache vor sie hintrat und mit seinem alten Bekenntnis begann: »Ich bin ein Metis, und ich bin stolz darauf« — da sang das Blut in ihren Adern wie einst in den Tagen der großen Büffeljagden. Sein Evangelium vom christlichen Reich indianischer Nation auf dem Boden der Prärien erregte zwar anfangs erschrockenes Staunen, fand aber dann schnell bereitwilliges Gehör. Im ersten Aufschäumen der Begeisterung unter dem Zauber seiner Beredsamkeit dachte keiner daran, die Botschaft kritisch zu befragen, ob sie auch zu verwirklichen sei.

Nur einer der Metis stellte sich diese Frage: Riels Vetter Charles Nolin. Nolin war in den fünfzehn Jahren nach dem Ende der Red-River-Republik zum Kopf der Metis geworden. Aber die Jahre hatten seine Anschauungen gewandelt. Er, ehedem der Befürworter des Anschlusses der Nordwest-Territorien an die Vereinigten Staaten und entschieden kanadafeindlich eingestellt, bemühte sich nun seit langem darum, eine Versöhnung zwischen Regierung und Metis herbeizuführen. Vom Zusammenbruch der Metis-Hoffnungen ernüchtert, schätzte er die Machtverhältnisse im Bereich der Prärien diesseits und jenseits der Grenze richtiger ein als der alte Jäger Dumont und der Träumer Riel. Ihm war klar, daß das Dominion trotz aller Entwicklungsschwierigkeiten seit 1870 stärker geworden war und daß es von seinem Ziel, ein geschlossenes Reich von Meer zu Meer zu schaffen, sich auch durch einen bewaffneten Aufstand nicht mehr würde abbringen lassen.

Als Riels Rückkehr feststand, erfüllte dies auch ihn mit gewissen Hoffnungen. Er erwartete, die mitreißende Rednergabe, die Riel geschenkt, ihm selbst jedoch versagt war, werde helfen, die Metis auf dem Weg der Vernunft und des Ausgleichs zu halten und auch die Vertreter der kanadischen Obrigkeit zu mehr Einsicht und Aktivität zu bewegen. Als er nun aber erleben mußte, wie Riel als Prophet der Prärien seine Botschaft vom neuen Bund der Indianer und Metis verkündete, erschrak er tief. Wie er später bekundete, sah er »sogleich, daß der Schatten des Galgens über den Pfad eines jeden fiel, der bewußt oder unbewußt die Gefahr eines Aufruhrs in der Prärie heraufbeschwor«.

Nolin beeilte sich, Dämme aufzurichten gegen die Flut, die er heranrollen sah. Es gelang ihm, die verbitterten Häuptlinge der Prärie-Indianer zu bewegen, daß sie ihre kampfeslüsternen Krieger im Zaum hielten, bis die klärende Aussprache mit einem Regierungsbevollmächtigten herbeigeführt war, die er anstrebte. Er gewann auch die Wortführer der kanadischen Siedler in Saskatchewan dafür, daß sie eine Eingabe nach Ottawa richteten, in der sie den Premierminister MacDonald beschworen, Riel anzuhören und »die alten, in Manitoba begangenen Fehler nicht zu wiederholen. Wenn Ihnen ernstlich daran liegt«, hieß es in der Eingabe weiter, »Konflikte mit unabsehbaren Folgen in den Distrikten Alberta und Saskatchewan zu vermeiden, dann veranlassen Sie bitte, daß niemand sich unterfängt, die alten Beschuldigungen gegen Louis Riel zu erneuern. Respektieren Sie den Willen der Mehrheit in diesen Distrikten, und erkennen Sie Riel als den Wortführer der Metis und Indianer an. Wir bitten Sie ferner dringend: Verstärken Sie die Abteilungen der Berittenen Polizei erst, wenn ein solcher Schritt sich als unumgänglich erweist.«

Die Anwesenheit der 1873 gegründeten Berittenen Polizei — der RCMP = Royal Canadian Mounted Police — war vor allem Indianern und Metis ein Dorn im Auge. Sie hatten — nicht ganz zu Unrecht — den Verdacht, die Streitmacht der Rotröcke sei nicht nur aufgestellt worden, um in der Wildnis des Nordwestens Gesetz und Ordnung zu wahren, sondern solle vor allem die altgewohnte Freiheit der Prärie einschränken. Zwar waren die weit verstreuten Polizeiposten nur schwach besetzt. Doch allein schon ihre Anwesenheit erregte Verdruß, und ein einziger Fehlgriff eines übereifrigen Polizisten konnte in einer Zeit allgemeiner unruhiger Spannung zum Funken werden, der einen verheerenden Brand auslöste.

Riels erste praktische Maßnahmen vermehrten die vorhandene Unruhe noch. Charles Nolin erkannte entsetzt, wie wenig Riel hinzugelernt und wie sehr er sich vom verantwortungsbewußten Politiker zum eifernden Träumer gewandelt hatte.

Es gelang Riel, sich vom ersten Metis-Landtag in Batoche fast diktatorische Vollmachten geben zu lassen. Daraufhin erklärte er die Loslösung der Distrikte Saskatchewan, Alberta und Assiniboine aus dem Verband des Dominions Kanada und rief eine Provisorische Regierung in Saskatchewan aus. Er ernannte sich selbst zum Oberkommandierenden der Streitkräfte, setzte Gabriel Dumont als seinen Generaladjutanten ein und beauftragte ihn, aus fünfhundert berittenen Metis-Scharfschützen eine ständig alarmbereite Verfügungstruppe zu bilden. Diese Truppe sollte sofort alle Polizeiposten und alle Faktoreien der HBC besetzen, die dort vorhandene Munition beschlagnahmen und alle Männer verhaften, von denen eine Opposition gegen die provisorische Regierung zu befürchten war.

Nolin legte hiergegen empört Einspruch ein: »Begreifst du denn nicht, daß du dem Dominion damit den Krieg erklärst«, rief er Riel zu. »Es besitzt jetzt genügend Militär und Waffen, um diese Herausforderung mit aller Härte und sofort zu erwidern. Wir aber haben nur ein paar hundert waffenfähige Männer, nur unsere alten Büffeljagdbüchsen und viel zu wenig Munition! Und daß wir nicht mehr mit Unterstützung aus den USA rechnen können, weißt du ebenso gut wie ich!«

Auch Dumont machte Bedenken geltend: »Wir brauchen Zeit! Und wir müssen es zunächst einmal im Guten versuchen! Das sind wir unseren Landsleuten und Mitbürgern schuldig.«

Riel fuhr auf: »Wir haben alle Indianer des Westens hinter uns, und sie sind die tapfersten Kämpfer der Welt! Ich kenne euch beide nicht wieder! Haben sich eure Adern mit Wasser, eure Bäuche mit Wind gefüllt, seit wir gegen den Dr. Schultz und die Bande des Majors Boulton am Red River ritten?«

Wie stets, wenn Riel derart aufbrauste, verschlug es dem alten Büffeljäger Dumont die Sprache. Er schämte sich seiner vermeintlichen Zaghaftigkeit. Nolin aber ließ sich nicht mehr wie früher von Riel überfahren. Zäh und ruhig verfocht er seine Ansicht, und schließlich gelang es ihm, Riel dazu zu bewegen, daß er die Aufstellung einer Metis-Truppe und die Besetzung von Polizeiposten und Depots verschob.

Ja, Nolin brachte Riel sogar dazu, eine im Ton sehr gemäßigte Eingabe an die Regierung in Ottawa zu richten. Darin wurde gefordert, die Landbesitzansprüche der Metis sollten nun endlich anerkannt und die Verträge mit den Indianern erfüllt werden. Sowohl Metis wie Indianer müßten im Distriktsparlament Sitz und Stimme erhalten, und dies solle die erste Stufe zur vollgültigen Selbstregierung als Provinz im Verband des Dominions sein. Nolin verstand es, auch die Mehrzahl der englischsprechenden Siedler in Saskatchewan für diese Petition zu gewinnen.

Damit schien Ende August 1884 eine friedliche Lösung angebahnt. Nolin atmete auf, und auch Dumont war zufrieden. Nur Riel fühlte sich enttäuscht. Seine Hochstimmung war verflogen. Er fing an zu bereuen, daß er sich aufs neue in die Verstrickungen der Politik hatte hineinziehen lassen. Am 28. August eröffnete er dem ständigen Metis- und Indianer-Komitee in Batoche, er wolle nach Montana an seine Missionsschule zurückkehren. Man möge alles Weitere in Nolins Hände legen.

Das Komitee widersprach heftig. Insbesondere die Sprecher der Indianer, allen voran der Cree-Häuptling »Tönender Himmel«, erklärten: Sie hätten allein zu Riel Vertrauen und würden die Metis nur dann weiter unterstützen, wenn er ihr Anführer bliebe. Nolin sei ihnen nicht wohlgesonnen.

Auch Dumont erhob Einwände: Riel dürfe nicht fortgehen, bevor eine befriedigende Antwort aus Ottawa erfolgt sei. Diese könne man aber nur erwarten, solange der Name Riel im Spiel bleibe. Man wisse in Ottawa recht gut, daß man nur in Riel einen Verhandlungspartner von anerkannter Autorität vor sich habe, und danach werde man sich richten.

Dies mußte auch Nolin anerkennen, und so trat denn auch er dafür ein, daß Riel blieb. Riel faßte dieses Verhalten des Komitees als erneute Bestätigung seiner Vollmachten auf und entschloß sich, in Batoche zu bleiben und nun erst recht als »Prophet der Prärien« zu wirken.

Ein Narr namens Clarke

Daß Riel seine Rolle als Wortführer der Metis nicht mehr, wie vordem am Red River, ausschließlich als politischen Auftrag, sondern vor allem als göttliche Sendung verstand, brachte ihn in Konflikt mit seiner Kirche. Seine angreiferischen Reden über das künftige »Christliche Reich indianischer Nation« und gegen die »Sonntags-Christen«, die »einmal in der Woche beten und beichten, in der übrigen Zeit aber ihre Mitmenschen betrügen oder ihrer Hautfarbe wegen verachten«, erregten bei den unter den Metis tätigen Pfarrern Ärgernis.

Ihre offene Feindschaft aber zog sich Riel zu, als er Pfarrhof und Kirche von Batoche — die beiden einzigen Steinbauten dieser Prärie-Siedlung — kurzerhand beschlagnahmte, sie zu seiner Residenz machte und durch eine Umwallung befestigen ließ. Als Pfarrer Moulin hiergegen protestierte, fuhr Riel ihn an: »Hinaus mit Ihnen, Sie Römling! Haben Sie noch immer nicht begriffen, daß Christus sich von Rom abgewandt und sein Reich den

Indianern anvertraut hat? In deren Mitte wird eine Kirche entstehen, zu deren Apostel ich berufen bin.«

Diese Ketzerei, der er noch andere folgen ließ, wenn ihn die Selbstbeherrschung verließ, sprach sich natürlich herum. Sie verstimmte die Metis, die in ihrer Mehrheit fromm und kirchentreu waren, weil sie mit einem gewissen Recht in der Kirche den einzigen zuverlässigen Rückhalt für ihr Volk sahen. Sie schenkten immer bereitwilliger den Befürchtungen Moulins und seiner Amtsbrüder Gehör, in Riels wilden Reden und seinem offenen Appell an die Gewalt sei der Teufel am Werk, und sie müßten unweigerlich zu einem blutigen Krieg führen.

Riel bekam bald zu spüren, wie sich Mißstimmung und Zwietracht unter den Metis ausbreiteten. Er schob die Schuld daran den Pfarrern zu, und seine Ausfälle gegen die Geistlichkeit, die katholische Kirche und gegen das Christentum der Weißen wurden immer bissiger. Zugleich liefen am Saskatchewan Gerüchte um, in Ottawa habe man das Todesurteil gegen Riel erneuert und einen Preis auf seinen Kopf gesetzt. Riel mußte darin die Drohung sehen, die bösen Vorgänge am Red River würden sich wiederholen. Denn der Herbst und der größte Teil des Winters vergingen, ohne daß man sich in Ottawa zu einer Antwort auf die Eingaben aus dem Distrikt Saskatchewan aufraffte.

Der quälende Zustand ungewissen Wartens, die glimmende Uneinigkeit im eigenen Lager, der immer häufiger und schärfer zutage tretende Gegensatz zu seinem Vetter Nolin — all das zermürbte Riels ohnehin nur dünne Selbstbeherrschung. Wutausbrüche wechselten mit Perioden trüber Melancholie, das Hochgefühl überschwenglichen Selbstbewußtseins mit tiefster Niedergeschlagenheit, in der er sich von Gott verlassen und von Feinden umringt und verfolgt fühlte. Diese Schwankungen machten freilich immer wieder lichten Wochen Platz, in denen Louis Riel sich als ein klar- und weitblickender Anführer seines Volkes erwies. Hierfür sprechen seine Entwürfe für Gesetze, die auch unter einer reinen Metis- und Indianerregierung im Westen der Prärien die Ansiedlung von Weißen ermutigen und eine praktikable und ausgewogene Selbstregierung der neuen Provinzen gewährleisten sollten. Sogar seine Feinde erkannten später an, daß Riels Gedanken hier ebenso wie in Manitoba den Grund zu einem lebensfähigen Gemeinwesen legten. Sie gaben ferner zu: Hätte sich Ottawa in jenem Winter 1884/85 zu einer vernünftigen, entgegenkommenden Haltung aufgerafft, ja, hätte es Verhandlungsbereitschaft auch nur angedeutet, so wäre Riel ohne Zweifel zu Zugeständnissen bereit gewesen. Zumindest hätte man ihm jeden Vorwand zu gewaltsamem Vorgehen genommen.

Aber die kanadische Regierung zauderte, weil sie sich von einer wilden Anti-Riel-Kampagne der Ontario-Presse unter Druck setzen ließ. Statt aus Einsicht zu handeln, gab sie den Scharfmachern das Feld frei, die jedes Zugeständnis an Metis und Indianer als Verrat an der Sache der Weißen in den Schmutz zogen. Das althergebrachte, von Vorurteilen genährte Mißtrauen gegen »Franzosen, Papisten, Halbindianer und andere Wilde« flammte erneut auf, und sein Giftqualm griff schließlich auch auf die Prärien über.

Einem von diesem Gift benebelten Narren namens Lawrence Clarke blieb es vorbehalten, die letzte schwache Hoffnung auf einen vernünftigen Ausgleich zwischen Metis und Weißen zu vernichten. Dieser Clarke war An-

gestellter der HBC — Faktoreileiter einer der Handels-
stationen, die das inzwischen in eine rein kommerzielle
Handelsgesellschaft umgewandelte Unternehmen in den
Prärien des Westens unterhielt. Aber die HBC und ihre
Faktoreileiter waren immerhin 200 Jahre lang für Metis
und Indianer die nächst Gott wichtigste Instanz ihres
Daseins gewesen — Halbgötter, deren Wort und Wei-
sung über das Schicksal eines Mannes, ja, ganzer Familien entschied. Dergleichen vergißt und verliert sich
nicht so schnell — zumal bei einem von Wesensart kon-
servativen Volk, wie es die Metis seit jeher waren. Ein
Faktoreileiter der HBC genoß bei ihnen immer noch Ansehen und Vertrauen.

Clarke freilich war neu im Land. Er hatte das alte, pa-
triarchalische, streng auf Gehorsam, aber auch auf Gerechtigkeit bedachte Regiment der HBC im Ruperts-Land
nicht mehr kennengelernt. Metis und Indianer waren
dort zwar früher auch nicht als gleichberechtigt geachtet
worden. Aber man behandelte sie als unentbehrliche
Mitarbeiter immerhin pfleglich, und die Faktoreileiter
hatten es nicht für unter ihrer Würde gehalten, mit besonders tüchtigen Jägern, Trappern, Waldläufern und
Häuptlingen freundschaftlich zu verkehren.

Clarke hingegen war ganz von der vermeintlich gottge-
gebenen Überlegenheit der Weißen durchdrungen. Deshalb verdroß es ihn, daß nun auch in Saskatchewan die
Metis — »diese Halbwilden« — Sitz und Stimme neben
den Weißen forderten und dasselbe sogar für die Indianer verlangten. Er hatte sich jener Partei der Weißen im
Westen angeschlossen, die — aufgeputscht von der Ontario-Presse — eifrig daraufhin zu wirken versuchten,
daß die Regierung mit einem raschen bewaffneten Vor-

stoß den Metis und Indianern zuvorkam und sie ein für
allemal zum Schweigen brachte. Als Vertreter dieser
kleinen, aber sehr aktiven radikalen Gruppe hatte er im
Laufe des Herbstes und Winters mehrere Reisen nach
Winnipeg unternommen.

Als er am 10. März 1885 von einer solchen Reise zurückkehrte, wurde sein Schlitten unterwegs von einigen Metis angehalten. Da sie alle bewaffnet waren, glaubte
Clarke zunächst, sie wollten ihn als Gegner Riels verhaften. Das trieb ihm die Galle ins Blut.

Doch der Anführer der Gruppe, der als einziger etwas
Englisch sprach, trat bescheiden an den Schlitten heran,
zog höflich seine Pelzkappe und fragte: »Mister Clarke,
Sie waren doch in Winnipeg beim Direktor der HBC,
nicht wahr? Haben Sie von ihm etwas gehört, wie sich
die Regierung in Ottawa zu unserer Eingabe stellt?«

Da ritt den törichten Clarke der Teufel. Er ließ seinem
dummen Hochmut die Zügel schießen und erwiderte
höhnisch: »Ja, ich kann euch genau sagen, wie die Regierung eure Forderungen beantworten wird. Sie schickt
500 Mann Berittene Polizei! Das Regiment ist bereits
auf dem Marsch nach Batoche. Seine Kugeln werden dem
Großmaul Riel und seinen Spießgesellen das Maul stop-
fen. Und für alle anderen Rebellen bringen sie genug
Handschellen und Ketten mit!«

Die Metis starrten Clarke erschrocken nach, der beim
letzten Wort seine Pferde mit einem Peitschenhieb in
Trab setzte. Die Metis dachten jedoch gar nicht daran,
ihm seine herausfordernden Worte heimzuzahlen. Sie
ritten vielmehr langsam, wie betäubt, hinter ihm her,
sosehr hatte seine Auskunft sie erschreckt. Sie hielten
seine Worte für bare Münze, denn wenn ein Mann der

HBC — einer der »Herren Winterer«, wie die Metis die Faktoreileiter noch immer nannten — dergleichen sagte, mußte es stimmen. Die »Herren Winterer« waren zwar mitunter grob und hochnäsig, aber zum Lügen ließen sie sich nicht herab.

Sehr bedrückt ritten die fünf Metis weiter — nach Batoche, um Riel das Gehörte zu melden. Es kam ihnen gar nicht in den Sinn, daß der verbohrte Lawrence Clarke sie, nur um sie zu verhöhnen und zu ängstigen, ins Blaue hinein belogen haben könnte.

Schüsse am Enten-See

Noch bevor die alarmierende Nachricht als Falschmeldung entlarvt werden konnte, hatte sie sich bereits nach allen Seiten mit der unheimlichen Schnelligkeit verbreitet, mit der Gerüchte durch Wüsten und menschenleere Prärien reisen. So gewann Riel selbst diejenigen der Metis zurück, die an ihm irre geworden waren. Wer eine Waffe tragen konnte, schnallte den Patronengurt um, sattelte sein Pferd und ritt schleunigst nach Batoche, um Riel zu schützen. Die Kleinstadt glich schon nach wenigen Tagen einem Heerlager.

Um den Frieden noch zu retten, unternahm Charles Nolin einen gewagten Schritt: Von Pfarrer Moulin ermutigt, stellte er sich offen gegen Riel und beschwor die Metis, Riel den Gehorsam aufzusagen. Er wies sie vor allem auf die Gefahr des Bündnisses mit den Indianern hin.

»Es wird sich auf jeden Fall gegen uns Metis kehren«,

rief er ihnen zu. »Entweder wird es sich als nutzlos erweisen, weil es noch nie irgendwo gelungen ist, indianische Kriegshäuptlinge unter einem Oberkommando zu einigen und zu einem strategisch geordneten Vorgehen zu bewegen. Daran sind schon Tecumseh, Pontiac und Sitting Bull gescheitert. Oder sie werden sich früher oder später sogar gegen uns wenden. Wie jeder von euch weiß, vergißt und verzeiht ein Indianer Niederlagen niemals. Wir Metis aber haben die Cree und die Schwarzfüße in vergangenen Jahren mehr als einmal besiegt, und das hat uns immer mit Stolz erfüllt. Die größte Gefahr dieses Bündnisses ist jedoch für uns, daß die Indianer sich keiner militärischen Disziplin beugen mögen und im Krieg das Plündern und Morden nicht lassen können. Kommt es in dem bevorstehenden Krieg zu solchen Untaten, dann wird man sie unweigerlich vor allem uns Metis anlasten. Wir werden aufs neue als Halbwilde und als Barbaren verschrien werden, die auf Bürgerrechte an der Seite der Weißen keinen Anspruch erheben dürfen.«

Einen Tag lang schien es so, als sollte dieser Appell durchschlagen. Doch dann ereignete sich etwas Seltsames. In der Nacht nach diesem bitteren Streit hatte Louis Riel aufs neue eine Vision. Ein Engel erschien ihm und warnte ihn vor einem Verräter aus den eigenen Reihen. Gleich in der Frühe des folgenden Tages rief Riel die Metis zusammen und berichtete ihnen von seinem Traumgesicht: »Engel lügen nicht«, rief er ihnen zu. »Es muß also ein Verräter unter uns sein. Packt ihn und führt ihn zu mir!«

Sein Gebaren wirkte so überzeugend und einschüchternd, daß mehrere Metis sofort mit den Fingern auf das englische Halbblut Albert Monkman deuteten. Monkman war tagszuvor dadurch aufgefallen, daß er bald nach seiner Ankunft in Batoche begonnen hatte, von Haus zu Haus zu gehen und die Metis zu beschwören, sie sollten die Waffen niederlegen und Batoche räumen, ehe die Berittene Polizei eintraf.

Monkman bestritt dies nicht, fügte jedoch hinzu: »Ich habe es nicht getan, weil ich bestochen oder abtrünnig bin. Ich wollte nur Ihre Prophetengabe auf die Probe stellen, Monsieur Riel. Jetzt, da Gott Ihnen einen Engel geschickt hat, um Sie zu warnen, sehe ich ein, daß seine Kraft Sie wirklich erfüllt.«

Nach diesem unmißverständlichen Zeichen waren auch die letzten noch unschlüssigen Metis von der Sendung Riels überzeugt. Sie wandten sich gegen die Warner Nolin und Pfarrer Moulin. Nolin freilich gab noch nicht auf. Er sprach vor allen Ohren deutlich aus, er halte Riels angebliche Vision für einen schlau ausgedachten Trick. »Oder wenn sie das nicht ist, wenn er wirklich einen Engel gesehen hat, dann war das die Ausgeburt eines überreizten, wenn nicht gar kranken Hirns!«

Diese Deutung empörte die Metis derart, daß Nolin schleunigst fliehen mußte, um sein Leben zu retten. Daß Riel nichts tat, um die wütende Menge zu beruhigen, verzieh ihm Nolin niemals. Er blieb von da an Riels unversöhnlicher Feind.

Tags darauf, am 17. März 1885, faßte Riel den schicksalhaften Entschluß, der die Flamme des offenen Aufruhrs in der westlichen Prärie entzündete. Er befahl seiner Metis-Streitmacht, die Garnisonen der Berittenen Polizei in Battleford und Fort Carleton anzugreifen, um die Waffen- und Munitionsvorräte zu erobern. Zugleich forderte er den Kommandanten der Berittenen Polizei, Major Crozier, auf, mit seiner Truppe den Distrikt Saskatchewan zu räumen. Metis-Reiter würden der Truppe bis zur Grenze sicheres Geleit geben. Dieses Ultimatum schloß mit dem herausfordernden, verhängnisvollen Satz: »Falls Sie diese Bedingung ablehnen, werde ich Sie angreifen, und damit wird ein Krieg beginnen, der alle auslöschen wird, die sich uns in den Weg stellen und die Rechte und Forderungen unseres Volkes nicht anerkennen wollen.«

Major Crozier, der Mitbegründer der RCMP, war kein Feigling, aber auch kein Narr. Er wußte, seine Polizeiposten waren zu schwach besetzt und zu weit verstreut, um lange standzuhalten. Aber er hatte nicht nur auf seine Truppe Rücksicht zu nehmen. Seine Leute waren ja im Fall von Indianeraufständen der einzige Schutz für die Präriesiedler, und deswegen mußte er versuchen, den Metis solange wie möglich Widerstand zu leisten, selbst wenn dies große Blutopfer von seiner Gruppe forderte. Ein Anfangserfolg, sagte sich Crozier, würde womöglich genügen, die Indianer zur Vorsicht zu mahnen, wenn sie sahen, daß ihre Metis-Verbündeten nicht so unbesiegbar waren, wie sie sich aufspielten.

Am 21. März lehnte Crozier Riels Ultimatum ab. Zugleich befahl er seinen im Indianerland verstreuten Außenposten, sich in der Station Enten-See zu sammeln. Dort wollte er sich verschanzen.

Da Riels Streitmacht weder in Battleford noch in Fort Carleton Munition vorfand, aber dringend auf eine Ergänzung ihrer dürftigen Bestände angewiesen war, blieb Riel nichts anderes übrig, als einen Angriff auf die Station Enten-See zu wagen. Er ritt seiner Truppe auf einem Schimmelhengst voran, den seine Landsleute ihm geschenkt hatten. Neben ihm ritt Gabriel Dumont, gefolgt von dreißig Metis-Reitern und etwa hundert Cree-Indianern.

Riel war unbewaffnet. Als Dumont dies mißbilligend feststellte, zog Riel lächelnd ein armlanges Birkenholzkreuz unter seinem Büffelledermantel hervor. »Glaube mir, Gabriel«, sagte er, »dies ist die beste Waffe in einem Heiligen Krieg.«

Schnee bedeckte noch das winterliche Prärieland, als sich der Zug dem Enten-See näherte, und in den bleigrauen niedrig ziehenden Wolken verbarg sich noch mehr Schnee. Gegen Mittag setzte denn auch heftiges Gestöber ein. Dieses dichte Schneetreiben verbarg Major Crozier, daß sich das Metis-Kommando dem Enten-See näherte.

Crozier war mit einer Kolonne von 56 Polizisten und 43 Milizsoldaten seit dem frühen Morgen zu der Station unterwegs, um dessen Besatzung zu verstärken. Außer Proviant und Munition führte die Kolonne auf ihren Schlitten auch ein leichtes Geschütz mit.

Offensichtlich ahnte Crozier nicht, wie nahe die Metis dem Enten-See waren, sonst hätte er seinen Zug wohl vorn und an den Flanken gesichert. Erst als das Schneetreiben zeitweilig nachließ, erkannte der Major, daß sich im Buschwerk zu beiden Seiten des Schlittenpfads schattenhafte Gestalten bewegten, und er erriet sofort, daß er im Begriff war, in eine Falle zu laufen. Gabriel Dumont hatte schon seit zwei Stunden durch seine indianischen Späher Kunde vom Anrücken der Polizeikolonne und längst seine Maßnahmen getroffen.

Der Major ließ halten und in aller Eile aus den mitgeführten Schlitten einen Kreiswall errichten. Dies war kaum gelungen, da hörte der Schneefall auf, und nun konnte Crozier erkennen, daß Louis Riel zum Kamm einer Anhöhe über der Schlittenburg hinaufritt und oben angekommen sein Birkenkreuz hoch über den Kopf hob. Deutlich war zu hören, daß der Metis-Führer seiner gutgetarnten Truppe zurief: »Wartet, bis die Rotröcke feuern! Dann aber gebt es ihnen tüchtig — im Namen des Dreieinigen Gottes!«

Riel hoffte wohl, er werde mit dieser Herausforderung den Gegner dazu reizen, auf ihn zu schießen und so das Gefecht zu eröffnen. Doch Crozier tat ihm diesen Gefallen nicht. Er suchte Zeit zu gewinnen und schickte deshalb einen Parlamentär vor. Riel wollte diesen gerade durch einen Metis in Empfang nehmen lassen, da sprang ein ungeduldiger Indianer aus seinem Versteck hervor und versuchte den Parlamentär mit vorgehaltener Waffe zum Absteigen zu zwingen, um sich in den Besitz des Pferdes zu setzen. Der Polizist wehrte sich. Es kam zu einem Gerangel um die Waffe. Dabei löste sich ein Schuß und traf den Indianer in die Gurgel. Gleich darauf knallte es von allen Seiten. Das kurze, aber blutige Gefecht am Enten-See hatte begonnen.

Die Metis feuerten von allen Seiten auf die Schlittenburg Croziers, gaben aber selbst kein sicheres Ziel ab, denn sie beherrschten die Künste des Buschkriegs besser als die Polizeitruppe. Sobald einer geschossen hatte, wechselte er kriechend den Platz. Dadurch gewann Crozier den Eindruck, von einer weit überlegenen Truppe eingekreist zu sein.

Nur Louis Riel bot während des ganzen Gefechts ein leichtes Ziel. Er hielt zu Pferd auf der Anhöhe aus, weithin sichtbar wie ein Denkmal, hob immer wieder sein Kruzifix und feuerte seine Metis an. Und obwohl immer wieder Kugeln an ihm vorbeizischten, blieb er ganz ruhig. Nicht ein Geschoß streifte ihn auch nur.

Nach einer halben Stunde Schießerei hielt Crozier den Kampf für aussichtslos. Er gab Befehl, unter Zurücklassung des Gepäcks zum Enten-See durchzubrechen. Der Durchbruch artete bald in regellose Flucht aus, bei der Croziers Truppe mehr als dreißig Tote und Verwundete liegen ließ.

Metis und Indianer setzten den Fliehenden hitzig nach. Endlich, endlich war nach fünfzehn Jahren bitterer Demütigungen der Tag der Vergeltung da, und den wollten sie auskosten. Riel ließ die Kampfbesessenen zunächst gewähren, zumal Gabriel Dumont dies von ihm forderte, als er sah, wie sein jüngster Bruder neben ihm fiel. Erst als sie wahrnahmen, daß die Indianer Verwundete nicht nur ausplünderten, sondern auch erstachen, ließen sie die Verfolgung einstellen, und Riel schickte einen Boten zur Polizei-Station Enten-See.

»Sage ihnen«, wies er den Boten an, »sie können sich getrost herauswagen, um ihre Toten und Verwundeten zu bergen. Sage ihnen auch, sie können unbehelligt nach Fort Carleton abziehen. Louis Riel sichert ihnen freies Geleit zu, denn sie haben es mit Metis zu tun und nicht mit Wilden.«

Major Crozier nahm dieses Angebot an. Er verlor damit zwar das Munitions- und Proviantdepot am Enten-See, bewahrte aber einen Großteil seiner Truppe vor einer langen Belagerung, die ihre Beweglichkeit und Schlagkraft gelähmt hätte. Die Metis hatten also nur einen halben Sieg erfochten.

Dieser wurde noch dadurch beeinträchtigt, daß die mit ihnen verbündeten Indianer während der Verfolgung zahlreiche waffenlos fliehende Soldaten und Verwundete umbrachten. Das sprach sich schnell in Saskatchewan herum und entfremdete Riel auch die englischsprechenden Siedler, die ihn bisher unterstützt hatten. Aus allen Siedlungen eilten Boten nach Winnipeg, um dort schnelles bewaffnetes Eingreifen der Regierung zu erbitten.

Die Metis freilich fühlten sich nicht nur durch ihren ersten Sieg, sondern mehr noch durch Riels Verhalten während des Gefechts in ihrem Vertrauen und in ihrer Siegeszuversicht bestärkt. Ihre abergläubischen Seelen sahen es als ein wundersames Zeichen an, daß Riel unverletzt geblieben war, obwohl er sich den Kugeln dargeboten hatte. Einen kugelfesten Mann als Anführer zu haben, galt ihnen als Verheißung des sicheren Sieges und als der stärkste Beweis dafür, daß er wirklich von Gott erwählt war, wie er immer behauptete.

Die Furcht vor dem Eingreifen der Indianer, die sich unter den Prärie-Siedlern nach diesem Gefecht bis zur Panik steigerte, war nur allzu begründet. Sobald die Nachricht vom Sieg am Enten-See die Lager der Cree-Indianerhäuptlinge Poundmaker und Großer Bär erreichte, begannen dort die Trommeln zum Kriegstanz zu pochen. Diese beiden Häuptlinge hatten sich bis dahin abwartend zurückgehalten. Sie hatten Riel zwar Waffenhilfe zugesagt, aber sie trauten den Metis nicht viel Erfolg zu. Nun aber schien es ihnen geraten, nicht länger zu warten, wenn sie bei der Beuteverteilung nicht zu kurz kommen wollten. Und so ließen sie dem Kriegshäuptling der Cree L'Esprit Errant — Unruhiger Geist — freie Hand.

Am 30. März schwiegen die Trommeln der Cree. Am Sonntag, dem 2. April, erschienen die Krieger der Cree unter Führung von L'Esprit Errant vor dem Präriestädt-

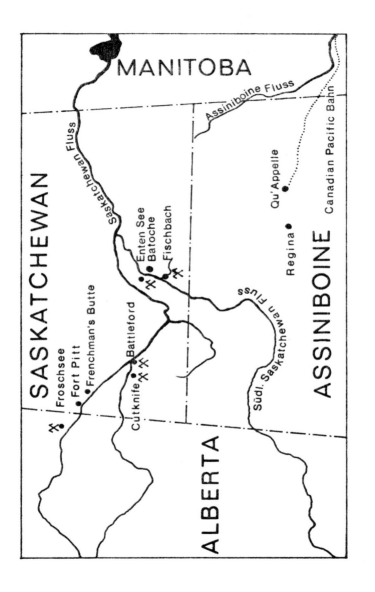

chen Battleford. Die meisten der Bewohner flüchteten sich beim Nahen der Indianer hinter die Palisaden der Polizeistation. Nur wenige getrauten sich, trotzdem zur Kirche zu gehen, in der Pater Fafard für die Metis und bekehrten Indianer des Ortes Messe hielt.

Fafard brach seine Predigt mitten im Satz ab, als er plötzlich die Hünengestalt L'Esprit Errants in der Kirchentür auftauchen sah. Der Häuptling trug eine lange Büchse in der Hand. Unter dem roten Schulterumhang war er nackt und ganz mit den giftgelben Farben der Kriegsbemalung seines Stammes bedeckt.

Pater Fafard trat von der Kanzel vor den Altar und rief L'Esprit Errant zu: »Was sucht Ihr hier, Häuptling? Hier sind nur Freunde der Indianer versammelt!«

L'Esprit Errant antwortete nicht. Doch als er und seine Krieger wenige Minuten später die Kirche wieder verließen, lagen der Pater und sieben weiße Männer erschlagen auf dem Boden. Zwei Frauen und drei Männer, die keinen Widerstand geleistet hatten, trieben die Krieger der Cree als Gefangene vor sich her auf die verschneite Prärie hinaus.

Vorher aber mußten die Gefangenen und ihre Mitbürger, die sich in die Polizeistation geflüchtet hatten, schaudernd mit ansehen, wie die indianischen Krieger, »nipuahao, nipuahao — töten, töten« grölend und waffenschwenkend, von Haus zu Haus zogen, um nach versteckten Weißen zu suchen, zu plündern und Feuer zu legen. Danach schlossen sie das kleine Polizeifort ein und belagerten es einen Monat lang.

Um Batoche war einstweilen noch alles ruhig. Aber täglich kamen nun weiße Siedler vor Riels Residenz geritten und flehten ihn an: »Sorgen Sie um Gottes willen

dafür, daß das Morden und Brennen auf der Prärie auf-
hört. Es vergeht kein Tag, an dem nicht Farmen in Flammen aufgehen und Siedler erschlagen oder weggeschleppt
werden, die nicht rechtzeitig flüchteten, weil sie sich auf
Sie verließen, Riel! Wenn das so weitergeht, versinkt
der ganze Nordwesten in Blut und Feuer. Nur Sie können die roten Schlächter aufhalten, ehe alles verloren
ist!«
Riel ließ nur wenige dieser verzweifelten Bittsteller vor.
Er hielt die meisten Hiobsnachrichten für maßlos übertrieben — nicht zu Unrecht, wie sich später heraus-
stellte. Denen aber, die er ausreden ließ, erwiderte er
kalt: »Wir können es uns nicht leisten, Verbündete zu
verärgern, die uns helfen, unsere Feinde zu schlagen.
Nicht mich, sondern die Regierung in Ottawa müßt ihr
für das verantwortlich machen, was jetzt geschieht. Nicht
wir Metis haben diesen Krieg gewollt. Wir wollten nur
unser Recht. Schreiben Sie an Ihre Regierung, sie soll
Vernunft annehmen und mit uns verhandeln, damit Metis und Indianer zu ihrem Recht kommen. Dann, aber
erst dann wird Frieden sein auf der Prärie!«
Auch damit hatte er recht. Aber ein Trost für die Ge-
ängstigten, Beraubten und Erschlagenen waren solche
kalten Worte nicht.

Die Vollendung der Nordwestpassage

Als Louis Riel 1869 seinen ersten Aufstand gegen das
Dominion Kanada, die sogenannte »Rebellion am Red
River« auslöste, war dies ein Vorfall, der sich weitab

von den Schaltstellen der Weltpolitik und Weltwirtschaft abspielte. So lebenswichtig er für das Volk der Metis auch war und so ärgerlich er für das Dominion sein mochte — für die »große Welt« bedeutete er nichts. Sie nahm davon nicht mehr Notiz als von jeder anderen Fünf-Zeilen-Meldung auf der zweiten Zeitungsseite und bewertete ihn dementsprechend.

Es scheint, daß Riel, als er 1885 in Saskatchewan zum zweitenmal losschlug, nicht zur Kenntnis nahm oder nehmen wollte, daß die Prärien zwischen den großen Seen und den Felsenbergen sich nun nicht mehr am äußersten Rand des großen Netzes politischer und wirtschaftlicher Verflechtungen befanden. Sein Lebensgefühl war offensichtlich das seiner Metis, die sich nach wie vor genau wie ihre Vorfahren als einen Menschenschlag besonderer Art betrachteten, der nach seinem eigenen Lebensgesetz unberührt vom Wandel der Dinge und Zeiten »hinter den Wäldern« lebte.

Anders als sein Vetter Charles Nolin, wollte oder konnte Riel nicht erkennen, daß die Wandlungen der letzten fünfzehn Jahre die Prärie nicht nur gestreift, sondern bereits eng in das Netz der politischen und wirtschaftlichen Strömungen verflochten hatten.

Im Jahr 1869 hatte die Regierung in Ottawa erst nach Wochen durch Kuriere vom Beginn des Aufstandes am Red River gehört und Monate gebraucht, um Gegenmaßnahmen einzuleiten. Jetzt, im Jahr 1885, verband eine Telegrafenlinie den fernen Westen des Dominions mit der Hauptstadt. Die Toten des Gefechts am Enten-See waren kaum unter der Erde, da beriet man in Ottawa bereits, was zur Bekämpfung des aufflammenden Präriebrandes zu geschehen habe.

Damals, 1869, verfügte das frisch gebackene Dominion noch nicht über ein eingespieltes Heerwesen. Dieser Mangel war längst behoben. Schon wenige Stunden, nachdem in Ottawa der Gegenschlag beschlossen war, konnte zum erstenmal eine gesamtkanadische Streitmacht aufgeboten werden. Am 22. März standen in Ottawa 3000, in Winnipeg 1600 Landwehrreservisten voll ausgerüstet abmarschbereit.

Nur ein Mangel, der es der Regierung schon 1869/70 unmöglich gemacht hatte, am Red River schnell einzugreifen, bestand noch immer, wenngleich nicht mehr so kraß: Es gab auch jetzt keine brauchbare Landverbindung zwischen Ontario und dem Westen. Wie die schnell bereitgestellte Truppe zum Schauplatz des Aufstandes befördert werden sollte, schien zunächst ein unlösbares Problem zu sein. Zwar verband ein Teilstück der seit Jahren im Bau befindlichen Transkanadabahn Winnipeg mit der Präriestation Qu'Appelle. Der Kommandeur der kanadischen Landwehr, Generalmajor Middleton, konnte sich deshalb bereits am 2. April mit der Brigade der Winnipeg-Schützen nach Westen in Marsch setzen. Aber er hatte, von Ottawa kommend, Winnipeg nicht mit der Bahn erreichen können, sondern die lange Reise vom Nordufer des Oberen Sees bis zum Red River mit dem Schlitten bewältigen müssen. Dieses Zwischenstück der Transkanadabahn fehlte damals ebenso wie die Präriestrecke zwischen Qu'Appelle und der Station Yellow Head in den Felsenbergen.

Es war klar, daß man das Gros der Regierungstruppen mitsamt Ausrüstung, Proviant, Munition und schweren Waffen nicht auch noch mit Schlitten nach Winnipeg befördern konnte, wo es dann untätig hätte warten müssen, bis die vom Frühlingstauwetter verschlammte Prärie endlich abgetrocknet war. Das hätte den Aufständischen zuviel Zeit gegeben, sich auf Widerstand einzurichten. Vor allem hätte eine solche Verzögerung die Gefahr heraufbeschworen, daß die Verbündeten der Metis, die Indianer, sämtliche Siedlungen in den Distrikten Saskatchewan, Alberta und Assiniboine zerstörten.

Die Regierung konnte sich ausrechnen, welchen Sturm der Entrüstung sie damit gegen sich heraufbeschwören würde. Und selbst wenn sie diesen nicht übermäßig ernst nahm — Premierminister MacDonald hatte die Fähigkeit, sich gegen solches Geschrei taub zu stellen, zu hoher Kunst entwickelt —: sie mußte doch die Gefahr in ihre Rechnung einbeziehen, daß die Aufständischen sich länger zu behaupten verstanden, als die Regierung es hinnehmen durfte. Dann nämlich war nicht nur die Einheit des Dominions, sondern auch einer der Nervenstränge des britischen Weltreichs ernstlich bedroht: die »Nordwestpassage zu Land«.

Dieser Begriff war 1865 von den beiden britischen Forschungsreisenden Cheadle und Milton geprägt worden, als sie ihre Reise durch Nordamerika beschrieben. »Viele Millionen Pfund und viele hundert Menschenleben sind dem Versuch geopfert worden, eine Nordwestpassage als Seeweg zu finden«, heißt es in ihrem Bericht. »Unsere Reise hat uns klar werden lassen, daß nicht unsere Seefahrer, sondern die Franzosen Champlain und seine Nachfolger auf dem richtigen Weg waren, als sie nach einer Nordwestpassage zu Land suchten. Diese Nordwestpassage durchquert nicht nur die fruchtbaren, nach Siedlern verlangenden Prärien von Saskatchewan; sie endet auch in einem hervorragenden Hafen nahe den großen Kohlenfeldern der Vancouver-Insel. Sie, nicht die Nordwestpassage als Seeweg, bietet sich vorteilhaft als eine der großen Handelsstraßen an, die Indien, China und Japan mit den Industriegebieten Europas und Amerikas verknüpft ... John Davis hat schon 1600 erklärt, die Macht, die die Nordwestpassage besitzt, werde auch die Welt beherrschen.«

Das verlockende Traumbild, durch die »Nordwestpassage zu Land« Macht — wirtschaftliche und politische Macht — für das Dominion Kanada zu gewinnen, hatte nicht wenig dazu beigetragen, daß Premierminister MacDonald 1871 die Kronkolonie Britisch-Columbia durch das Versprechen köderte, die Transkanadabahn werde innerhalb der nächsten zehn Jahre gebaut werden. Das Versprechen war jedoch wie viele andere Versprechungen des Premiers nur teilweise eingelöst worden. »Seine Augen und sein Appetit sind auch hier wieder einmal größer gewesen als sein Magen«, stellte eine Torontoer Zeitung damals ironisch fest.

Es lag aber nicht an MacDonald allein, daß die Bahn 1885 noch immer nicht fertig war. Der zögernde Gang der Bauarbeiten war auf die ständige Finanzmisere des Dominions und auf den Eigensinn des Parlaments zurückzuführen, das sich beharrlich sträubte, die Durchführung des Riesenprojekts und damit auch Ausbeutung und Besitzrecht Ausländern zuzugestehen. Seit zwei Jahren ruhten deshalb die Arbeiten an der Strecke; denn das Syndikat, das unter Führung des amerikanischen Eisenbahnspezialisten und Finanzmannes van Horne stand, weigerte sich weiterzubauen, ehe der Millionenkredit ausgezahlt war, den die Regierung in Ottawa zugesagt, das Parlament jedoch blockiert hatte.

Jetzt aber, da Louis Riels zweiter Aufstand loderte, sah van Horne seine Gelegenheit gekommen. Er wußte genauso gut wie die Regierung, daß der Aufstand nur dann rechtzeitig erstickt werden konnte, wenn Truppen und Nachschub schnell genug auf den Kampfplatz geworfen wurden. Er fand einen Verbündeten in Donald Smith, der inzwischen zum allmächtigen Oberhaupt der HBC aufgerückt war. Smith erklärte sich bereit, für den Kredit zu bürgen, bis das kanadische Parlament die längst fälligen Millionen freigab. So konnte van Horne schon am 27. März dem Premierminister eröffnen: »Ich verspreche Ihnen, in wenigen Wochen wird die Strecke imstande sein, Ihre Armee schnell und sicher nach Westen zu befördern und die nötigen Versorgungsgüter folgen zu lassen.«

Was Einsicht, Intrigen und gutes Zureden bis dahin nicht vermocht hatten, erzwang Riels zweiter Aufstand nun innerhalb weniger Stunden. Schon am nächsten Tag bewilligte das Parlament der CPR das Geld, und sofort legte sich van Horne mit allem Nachdruck ins Zeug. Er schaffte ganze Bataillone von Kontraktarbeitern heran — chinesische Kulis, arbeitslose Einwanderer aus dem Osten der Vereinigten Staaten, Farmarbeiter aus dem Mittelwesten. Wo der Gleisunterbau noch fehlte, wurden die Schienen provisorisch auf dem nackten Erdboden verlegt. Wo Brücken fehlten, standen dort, wo das Wasser bereits offen war, Fähren bereit. Wo das Eis noch dick auf den Wasserläufen stand, verlegte man die Schienen dreist auf der Eisdecke. Auf langen Streckenabschnitten durften wegen des fehlenden Unterbaus nur die beim Bau verwendeten leichteren Lokomotiven und offene Rungenwagen eingesetzt werden. Doch das genügte, um die

Truppen und ihre Ausrüstung aus dem Osten innerhalb von elf Tagen nach Saskatchewan zu bringen und danach den Nachschub wochenlang ohne Pause aufrechtzuerhalten.

»Ohne van Hornes Energie und Umsicht, ohne die Wendigkeit und Improvisationsgabe seiner Mitarbeiter, vom Chefingenieur bis zum Stationsvorsteher eines Prärienestes, ohne die Arbeitswilligkeit der Streckenarbeiter wäre Kanadas Nordweststreitmacht nicht nur zu spät gekommen. Sie hätte unterwegs auch erhebliche Verluste durch Erfrierungen und andere Krankheiten erlitten. Sie wäre in Schnee, Schlamm und Regen steckengeblieben und durch Hunger demoralisiert worden«, urteilt ein Zeitgenosse. »Diese gebündelte Kraft aus Geld, Wagemut, Energie und technischem Wissen wäre jedoch nicht so schnell in Bewegung gesetzt worden zum Besten Kanadas, hätte nicht fern in der westlichen Prärie ein Demagoge besonderer Art mit einigen hundert dürftig bewaffneten Metis- und Indianerkriegern den wahnwitzigen Versuch unternommen, einem Weltreich die Stirn zu bieten. Auch wenn es danach noch Jahre dauerte, bis die gesamte Strecke der CPR von Toronto bis zur Westküste voll betriebsfähig war, muß man gerechterweise feststellen, daß Louis Riel die Fertigstellung der ›Nordwestpassage zu Land‹ erzwungen hat, wie ja auch auf ihn die Gründung der zukunftverheißenden Provinz Manitoba zurückzuführen ist. Er hat damit, freilich ohne es zu wissen und zu wollen, das Dominion Kanada der Einheit und dem Ansehen als politische und wirtschaftliche Macht ein gutes Stück nähergebracht. Gedankt hat ihm dies allerdings niemand — zumindest nicht öffentlich.«

„Seien Sie mir willkommen, Mr. Riel!"

Dank dem Wagemut und der Energie der Eisenbahn-
bauer konnte Generalmajor Middleton bereits am 24.
April 1885, gut vier Wochen nach dem Beginn des bewaffneten Aufstandes, seine Offensive gegen Riel und
dessen indianischen Bundesgenossen eröffnen, und schon
am 15. Mai war der Kampf beendet.

An diesem Tag näherte sich frühmorgens, als noch das
Eis einer kalten Frühlingsnacht alle Tümpel überkrustete,
ein kleiner Metis-Trupp einer Furt unterhalb von Batoche, nahe den Birch Hills. Nur drei Männer dieses Trupps
trugen Waffen. Es wäre ihnen trotzdem ein leichtes gewesen, die kanadische Feldwache, die die Furt sichern
sollte, zu überwältigen, denn die Soldaten dachten nach
dieser eisigen Nacht im Freien an nichts anderes, als sich
an ihrem gerade entfachten Feuer zu wärmen und ihre
Morgenmahlzeit zu bereiten. Gegner hatten sie seit Tagen nicht mehr zu Gesicht bekommen, und sie waren
dementsprechend sorglos. Als sie aufgeschreckt zu ihren
Gewehren liefen, war die kleine Metis-Patrouille schon
ganz nahe. Die Kanadier hätten keine Chance gehabt.

Doch die Metis schossen nicht. Vielmehr trat der eine
unbewaffnete Mann, der mit ihnen ging, dicht an den
kanadischen Unteroffizier heran und sagte leise: »Ich
möchte mich ergeben. Führen Sie mich zu Ihrem General.
Ich bin Louis Riel.«

Die Kanadier wollten zunächst nicht glauben, daß dieser
blasse, hohläugige Mann mit dem langen verfilzten
Vollbart und der verschmutzten, zerrissenen Soutane
wirklich der Anführer des Aufstandes und gefürchtete

Herausforderer und Widersacher des Dominions Kanada sein sollte. Erst als er ihnen die Briefe zu lesen gab, die ihm Generalmajor Middleton im Laufe des Feldzugs geschrieben hatte, um ihn zur Kapitulation zu bewegen, wurde den Männern klar, wen sie vor sich hatten.

»Werden Sie mich nach Batoche bringen können, ohne daß ich beschimpft oder gar geschlagen werde?« fragte Riel ängstlich. Die Feldwache versprach es ihm kopfschüttelnd. War dies wirklich der Mann, den man ihnen daheim in Ontario als einen wahren Teufel geschildert hatte?

Sie wunderten sich noch mehr, als sie ihn vor das Zelt ihres Generals führten. Middleton saß gerade schreibend an seinem Arbeitstisch, als sein Adjutant die Feldwache und ihren Gefangenen hereinbrachte und meldete: »General, hier ist Riel! Er hat sich freiwillig gestellt.«

Middleton sprang sofort auf, als hätte er einen hochgeehrten Gast zu begrüßen, und sagte höflich zu dem besiegten Gegner, der linkisch und verlegen am Eingang zögerte: »Seien Sie mir willkommen, Mr. Riel! Ich bedauere nur, daß Sie nicht eher den Weg zu mir gefunden haben. Wie fühlen Sie sich? Nicht gerade wohl, wie ich sehe.« Er rückte einen Klappstuhl zurecht. »Bitte setzen Sie sich!«

Dann gab er dem Adjutanten Anweisung, ihn mit dem Gefangenen allein zu lassen und alle Besucher fernzuhalten — auch die Pressekorrespondenten, von denen das Hauptquartier wimmelte. »Ich nehme an, es ist auch in Ihrem Sinn, wenn ich diese zudringlichen Plagegeister fernhalte«, sagte er zu Riel, und dieser, obwohl sonst für jede Gelegenheit, sich der Öffentlichkeit darzubieten, durchaus zu haben, nickte dankbar.

Die Fragen, die ihm Generalmajor Middleton danach unter vier Augen stellte, beantwortete Riel jedoch freimütig und ausführlich. »Wie konnten Sie nur hoffen, mit einigen hundert mangelhaft bewaffneten Kämpfern das Dominion Kanada in die Knie zu zwingen«, fragte der General als erstes.

»Wir hatten nichts anderes im Auge, als unsere Entschlossenheit zu beweisen, Metis und Indianer unter gerechten Bedingungen, das heißt als gleichberechtigt mit den Weißen, in das Dominion einzugliedern«, erklärte Riel. »Blutvergießen habe ich nicht gewollt, als mich meine Landsleute an ihre Spitze riefen. Daß wir die Waffen erhoben, war vor allem eine Demonstration — die einzig mögliche Antwort auf die Weigerung der Regierung, uns den französischsprechenden Kanadiern der Provinz Quebec gleichzustellen.«

Vergaß er bei dieser Erklärung sein Ultimatum an Major Crozier, das zum Gefecht am Enten-See führte und die Drohung enthielt, er werde »alle auslöschen, die sich uns in den Weg stellen«? Oder wollte er sich nicht mehr daran erinnern? Hieran nicht und auch nicht daran, daß er seinen indianischen Verbündeten freie Hand gelassen hatte, als sie auf der Prärie gegen alle Siedlungen der Weißen zu wüten begannen?

Doch nicht nur in seinem Gedächtnis, auch bei den Metis begannen schon wenige Tage nach der Niederlage die Geschehnisse des Aufstandes eine andere Färbung und allmählich auch andere Gestalt anzunehmen. Legenden bildeten sich aus — so diese: Die Metis unter der genialen Führung Gabriel Dumonts hätten Middletons Truppen immer wieder in einen Hinterhalt gelockt und sie in allen drei ernsthaften Gefechten des Krieges aufs Haupt geschlagen. Eine zweite Legende besagte: Wären die indianischen Hilfstruppen, statt sich bei langen Palavern oder beim Plündern aufzuhalten, rechtzeitig auf dem Schauplatz des — dritten und letzten — Gefechts bei Batoche erschienen, dann hätte Dumont die Kanadier vernichtend geschlagen.

Wie stets bei Legenden liegt in all dem ein Körnchen Wahrheit. Es trifft zu, daß Middleton beim ersten Gefecht am Fish Creek den Fehler beging, die Metis zu unterschätzen und deshalb unter Verlusten in seinem Vormarsch aufgehalten wurde. Empfindlich getroffen oder gar zurückgeschlagen wurde er jedoch nicht.

Ähnlich verliefen die beiden nachfolgenden Gefechte vor Batoche. Die Metis erzielten jedesmal dank ihrer größeren Beweglichkeit und besseren Geländekenntnis Anfangserfolge. Im Verlauf des Kampfes wirkte sich dann jedoch zunehmend die Überlegenheit der Kanadier an Zahl und Bewaffnung aus und zwang die Metis zum Rückzug.

An dieser Überlegenheit hätte auch ein rechtzeitiges Eingreifen der Indianer nichts ändern können. Daß die Indianer in diesem Aufstand militärisch nicht die Rolle spielten, die Riel und Dumont sich erhofften, war vorauszusehen. In der langen blutigen Geschichte der Indianerkriege Nordamerikas hatten sich die Indianer zwar stets als tapfere Kämpfer bewährt. Aber zu einem disziplinierten soldatisch-strategischen Vorgehen hatten sie sich niemals und nirgendwo bereitfinden können. Hieran waren nun auch die Cree-Häuptlinge Tönender Himmel und Großer Bär gescheitert.

Eine letzte Metis-Legende rankt sich um Louis Riels Rolle in den Gefechten des Frühjahrs 1885. Sie weiß zu erzählen, Riel habe, mit dem Gewehrkolben um sich schlagend, im letzten Gefecht vor Batoche so lange in der Mitte seiner Metis gekämpft, bis er an seiner Seite Dumonts jüngsten Neffen, den eben vierzehnjährigen Paul Dumont, von Bajonettstichen durchbohrt niedersinken sah und wahrnahm, daß die kanadischen Soldaten verwundete Metis mit dem Bajonett niedermachten und auf waffenlos Flüchtende schossen. Da sei ihm klargeworden: Wenn diese Woge mörderischer Wut Batoche erreichte, mußte es dort ein Blutbad unter Frauen und Kindern geben. Um dies zu verhüten, habe er sein Gewehr weggeworfen, sein Birkenkreuz hervorgezogen und sich, über Tote und Verwundete springend und wunderbarerweise von keinem Kanadier erkannt und aufgehalten, bis zum Zelt Middletons durchgeschlagen. Hier habe er furchtlos die Bajonette der Wache beiseite geschoben, und seine Stimme habe herrisch das Kampfgetöse übertönt: »Stellen Sie den Kampf sofort ein, General! Es ist genug Blut geflossen. Ich bin's, auf den Sie Jagd machen! Ich bin Louis Riel!«

Ein solch heroischer Schluß hätte dem fanatischen Metis-Patrioten Riel, hätte einem »Propheten der Prärien« zweifellos gut zu Gesicht gestanden. Aber leider ist an dieser Heldenlegende kein Wort wahr.

Riel hat sich außer am Gefecht am Enten-See an keinem der Kämpfe aktiv beteiligt. Er spielte bestenfalls die Rolle eines Feldpredigers. Einmal freilich unternahm er demonstrativ einen Versuch, sich mit einem Gewehr in Reih und Glied zu stellen. Doch als Gabriel Dumont sah, wie ungeschickt Riel mit der Waffe hantierte, nahm er sie ihm aus der Hand und erklärte: »Es ist nicht deine Aufgabe, dich ins Kampfgetümmel zu mischen. Wir Metis werden deinen Kopf noch sehr nötig haben, wenn das blutige Geschäft des Krieges vorbei ist.«

Dies hörte Riel gern, und er legte erleichtert das Gewehr wieder weg. Daß seine Metis ihn nach dem Ende der Kämpfe noch lange brauchen würden, begann er bereits wieder zu glauben, nachdem der erste Tag seiner Gefangenschaft hinter ihm lag.»Zunächst fürchtete er sehr, man werde ihn so schlecht behandeln wie einen entsprungenen und wieder eingefangenen Sträfling«, berichtet Hauptmann Young, der ihn zu bewachen hatte. »Doch als er erkannte, daß der General und sein Stab ihm ohne Feindseligkeit entgegentraten und ihn wie einen Gentleman behandelten, lebte er schnell wieder auf.

Wir hatten in den folgenden acht Tagen lange Gespräche miteinander. Da ich weisungsgemäß nie versuchte, ihm verhörähnliche Fragen zu stellen, faßte er volles Vertrauen zu mir, denn im Grunde war er für einen Mann der Politik außergewöhnlich arglos und offenherzig.

Ich hatte vorher gedacht, ich würde ihn verachten und verabscheuen, denn ich hatte als Kind in Winnipeg miterlebt, wie Riel den törichten Thomas Scott hinrichten ließ und welche Empörung dies in meinem Elternhaus auslöste. Doch ich lernte in ihm nun einen so feinfühligen, klugen und gebildeten Menschen kennen, daß ich ihm bald nur noch Hochachtung und Verständnis entgegenbrachte.

Ihn als einen Halbwilden oder gar als einen geistesgestörten Amokläufer der Prärie zu bezeichnen, wie es in unserer Presse geschehen ist, halte ich für eine böswillige Verleumdung. Ich glaube, die ganze Tragödie seines Lebens und damit die seines Volkes hat ihre Wurzel darin, daß er allein in den Mitteln der Politik den richtigen Weg sah, sich einen geachteten Platz in der Welt und seinem Volk Gerechtigkeit und eine zukunftversprechende Entwicklung zu verschaffen. Als Priester oder Lehrer hätte er, davon bin ich überzeugt, für seine Metis und die Indianer wahrscheinlich fruchtbarer wirken können. Ihm selbst wären dadurch die Seelenqualen erspart geblieben, die sein Gemüt ständig einer Spannung unterwarfen, der dieser dünnhäutige Mensch auf die Dauer nicht gewachsen war ...

Sehe ich es richtig, dann hat er wohl von Jugend an ständig unter dem untergründig nagenden Gefühl gelitten, benachteiligt und unzulänglich zu sein. Um diese Qual zu übertäuben, stachelte er sich dazu an, das Ziel seiner ehrgeizigen Träume hoch und höher zu stecken — so hoch, daß er schließlich den Boden der Wirklichkeit erst unter den Füßen und am Ende ganz aus den Augen verlor. Der unvermeidliche Absturz mußte ihn deshalb jedesmal härter treffen und endlich vernichten.

Daß er das Schicksal seines Volkes in diesen Untergang hineinriß, muß jeden schmerzlich berühren, der Fehler wie Tugenden der Metis kennt und gerecht gegeneinander abwägt.

Die Frage: Kam Louis Riel, der ›Prophet der Prärien‹, für das Volk der Metis zu früh oder zu spät, hat mich lange und dringlich beschäftigt. Ich meine: er kam zu früh, denn die Metis hatten ebenso wie die Indianer den Übergang von der individualistisch gestimmten, sich selbst genügenden losen Gemeinschaft von Jägern zur staatenbildenden, vielschichtigen Welt der Zivilisation gerade erst begonnen. Dieser Übergang erfordert aber einen Lern- und Anpassungsprozeß, der sich über Generationen erstreckt. Riel wollte ihn auf einen kühnen, hochfliegenden Sprung verkürzen. Dabei versengte er sich die Flügel und brach sich im Absturz das Genick. Seinem Volk aber zerschlug er dabei alle Gefäße, in denen sich ein geistiger Vorrat für die Zukunft hätte sammeln können.«

Am 23. Mai kam aus Ottawa die Anweisung, Louis Riel sei nicht als Kriegsgefangener zu behandeln, sondern als Hoch- und Landesverräter, deshalb in Ketten zu legen und sofort in ein Gefängnis zu bringen — nach Regina, wo ihm der Prozeß gemacht werden solle.

Der Generalmajor Middleton war beides — Soldat und Gentleman. Als Soldat wußte er, daß er sich diesem Befehl nicht widersetzen durfte. Als Gentleman fiel es ihm schwer, seinem Gefangenen diesen Bescheid zu überbringen, den er mißbilligte. Er hätte seinen Adjutanten oder Hauptmann Young damit beauftragen können. Aber es ging gegen sein Anstandsgefühl, sich zu drücken, und so unterzog er sich der schlimmen Aufgabe selbst.

Dabei verschwieg er nicht, daß er die Anordnung seiner Regierung nicht guthieß. Den besiegten Gegner zu demütigen, sei nicht Kriegsbrauch, sagte er und fügte hinzu: »Nach meiner Meinung hätten Sie außerdem Anspruch darauf, vor ein Gericht höchster Kompetenz gestellt zu werden, und nicht vor die Geschworenen eines Präriegerichts, die von einer solchen Haupt- und Staatsaktion doch wohl überfordert werden dürften.«

»Ich habe nichts anderes erwartet, General«, erwiderte Riel gelassen. »Es ist mir sogar lieb, daß die Verhandlung hier in der Prärie, unmittelbar vor den Augen und Ohren meiner Metis, stattfindet. So werden sie Zeugen sein, daß ich bis zuletzt für ihr Recht kämpfe. Welches

Urteil mir bevorsteht, ist mir schon heute klar. Doch auch das kann mich nicht schrecken. Ich bin immer darauf gefaßt gewesen, als Märtyrer für die Sache meines Volkes zu sterben.«

»Seien Sie nicht zu pessimistisch, Riel«, suchte Middleton ihn aufzumuntern. »Ich bin sicher, man wird Ihre Beweggründe würdigen und dabei auch berücksichtigen, was andere verschuldet haben. Den Vorwurf des Hochverrats, zum Beispiel, finde ich, gelinde gesagt, übertrieben.«

Riel lächelte melancholisch. Er wußte, die Flut des alten Hasses und der Schmutz der noch älteren Vorurteile würde aufs neue hoch aufschäumen und es der Gerechtigkeit schwer machen, sich in dieser trüben, wütenden Brandung zu behaupten. Wie recht er damit hatte, beweist eine Äußerung, die wenige Tage nach dem Ende des zweiten Riel-Aufstandes in den »Toronto News« zu lesen stand.

»Man sollte Louis Riel, den Mörder Thomas Scotts, gar nicht erst der Ehre würdigen, vor Gericht gestellt zu werden. Man sollte ihn mit der Metis-Flagge erwürgen! Einen anderen Tod hat er nicht verdient. Dies wäre der einzige löbliche Dienst, den dieser Schandfetzen unserem Land jemals geleistet hat.«

Ein Mann von hoher Intelligenz

Es gilt bis heute als strittig, ob Louis Riel wirklich den »fairen Prozeß« bekam, auf den jeder Angeklagte nach englischer Rechtstradition uneingeschränkten Anspruch hat. Einiges spricht dagegen. So setzte sich die Jury nur aus sechs statt zwölf Geschworenen zusammen, wie es einem Verfahren ähnlichen Gewichts eigentlich zukam. Das Gericht bestand ferner nur aus Engländern, und von den sechs Geschworenen war nur einer Katholik. Vom Vorsitzenden, Richter Richardson, war bekannt, daß er sich in den Jahren zuvor mehrmals öffentlich feindselig über die Metis geäußert hatte. Dies zog die Objektivität seiner Verhandlungsführung in Zweifel, und dieser Zweifel erhielt neue Nahrung durch die Art, wie Richardson Entlastungsanträge der Verteidigung immer wieder blokkierte.

Riels Verteidiger legten es zunächst darauf an, nachzuweisen, daß der Angeklagte immer nur im Auge gehabt hatte, die Ungerechtigkeiten zu beseitigen, unter denen Metis und Indianer litten. Ständig gebrochene Zusagen und hartnäckiges Schweigen der Regierung gegenüber berechtigten Klagen hätten schließlich ein gewaltsames Vorgehen geradezu herausgefordert. Sie beantragten deshalb, Riels Denkschriften und Eingaben als Beweismittel beizuziehen und öffentlich zu verlesen.

Abgelehnt!

Sie beantragten weiter, den Premierminister MacDonald als Zeugen vorzuladen und zu verhören.

Abgelehnt!

Sie beantragten, als Entlastungszeugen für Riel die Metisführer Gabriel Dumont, Michel Dumas und Napoleon Nault zu hören. Von diesen, die nach Montana hatten fliehen können, lagen schriftliche Aussagen zugunsten Riels vor. Die Männer hatten sich bereiterklärt, ihre Aussagen vor Gericht mündlich unter Eid zu wiederholen, falls man ihnen freies Geleit zusicherte.

Abgelehnt!

Als Riels Verteidiger einsehen mußten, daß sie keine Gelegenheit bekommen würden, gegen die Zeugen der Anklage ein Gegengewicht aufzubieten, schlugen sie einen anderen Weg ein, ihren Mandanten vor dem Galgen zu bewahren. Sie gingen nunmehr darauf aus, nachzuweisen, Riel sei geistesgestört und daher für seine Taten nicht verantwortlich zu machen. Als Hauptzeugen führten sie hierfür Dr. Roy an, den leitenden Arzt der Heilund Pflegeanstalt Beauport in Montreal, in der Riel 1876—78 fast zwei Jahre verbracht hatte. Nach einigen erbitterten Wortgefechten mit dem Kronanwalt Osler und dem Gerichtsvorsitzenden Richardson gelang es ihnen, die Vorladung Dr. Roys durchzusetzen.

Sie erzielten damit jedoch nicht den erhofften Erfolg. Das Gericht maß der Aussage keine besondere Bedeutung bei. Die Erkrankung, derentwegen Riel in Beauport behandelt worden war, lag ja mehrere Jahre zurück; außerdem war, wie Dr. Roy bestätigte, der Patient seinerzeit als vollständig geheilt entlassen worden. Der vom Kronanwalt um ein zusätzliches Gutachten gebetene Gerichtsarzt — ein Truppenarzt der Berittenen Polizei — stellte fest, der Angeklagte sei zwar ein labiler, seelisch unausgeglichener Mensch, aber ein Mann von hoher Intelligenz und deshalb voll verantwortlich.

Erst als Dr. Roy im Zeugenstand erschien, ging Louis Riel auf, was seine Anwälte anstrebten, und er setzte sich sofort leidenschaftlich dagegen zur Wehr.

»Aber begreifen Sie denn nicht: Es geht um Ihren Kopf, Riel«, hielt ihm sein Anwalt Lemieux entgegen. »Um Ihr Leben zu verteidigen, muß uns jedes Mittel recht sein.«

Riel schüttelte den Kopf. »Es geht hier um mehr als um

mein Leben! Es geht um mein Volk, meine Metis! Stellt man mich als einen Geistesgestörten hin, was ist dann meine Grundforderung, die Metis endlich gleichberechtigt zu behandeln, noch wert? Soll diese Forderung, von der ich mich am Red River und hier in Saskatchewan habe leiten lassen, als Traum eines Narren, als Wahnvorstellung eines kranken Hirns verlacht werden? Nein, nein! Daß ich durch dieses schandbare Hintertürchen schlüpfe, um meinen Kopf zu retten, das haben meine Metis nicht verdient, die mich verehrt und geliebt und ihr Blut für mich vergossen haben! Diese Demütigung wenigstens muß ihnen erspart bleiben!«

Am nächsten Tag erhob er sich bei Beginn der Verhandlung und bat den Vorsitzenden um die Erlaubnis, eine Erklärung abzugeben. Sie wurde ihm nach einigem Hin und Her mit dem Kronanwalt gewährt, der fürchtete, Riel wolle »die Anklagebank zum Podium für eine Brandrede mißbrauchen«. Riels Anwälte mußten nun entsetzt, die Geschworenen und Zuschauer staunend anhören, wie Riel jedem weiteren Versuch, ihn als Geisteskranken hinzustellen, den Boden entzog.

Er begann mit dem Satz, durch den er sein Volk so oft in Bann geschlagen und mitgerissen hatte: »Ich bin ein Metis, und ich bin stolz darauf ...« Und dann zeichnete er eine ganze Stunde lang mit hinreißender Beredsamkeit ein Bild von der Geschichte und von der Sehnsucht seines Volkes, frei und gleichberechtigt, im Gebrauch seiner Sprache und seines Glaubens nicht behindert, als vollgültige Bürger an der Seite aller anderen freien Kanadier zu leben. Er schilderte, wie Benachteiligung, Verleumdung, Verrat und Gewaltandrohung den Metis schließlich die Waffen in die Hand gezwungen hatten.

Es gab im Zuhörerraum genug Weiße mit Anstand und Gewissen, denen die Schamröte ins Gesicht stieg, als Riel darlegte, mit welcher Heimtücke man ihn sogar noch auf dem Boden der Vereinigten Staaten verfolgt und durch gedungene Mörder bedroht hatte und daß der Premierminister MacDonald selbst ihm eine erkleckliche Summe Geld in die Hand gedrückt hatte, damit er außer Landes ging und sein Mandat als Abgeordneter von Manitoba im Parlament des Dominions nicht wahrnahm.

Mit Recht wies er daraufhin, daß er und kein anderer sich als Gründer Manitobas bezeichnen dürfe, ehe er schloß: »Was ich tat, habe ich aus Liebe zu meinem Volk getan, nicht meinetwegen und aus hemmungslosem Ehrgeiz. Jeder von Ihnen hätte in gleicher Lage ebenso gedacht und gehandelt. Verurteilen Sie mich, so sprechen Sie mir das Urteil nicht, weil ich ein Verbrechen begangen habe, sondern weil ich ein Metis bin. Damit aber machen Sie sich zum Komplizen einer Denkweise, die in diesem Lande nicht aufkommen dürfte — zu der Auffassung nämlich, daß kleine Volksgruppen anderer Hautfarbe, anderer Sprache, anderen Glaubens und anderer Gesittung auf dem Boden Kanadas kein Lebensrecht, keinen Anspruch auf Gerechtigkeit und Achtung haben.

Ich bin immer nur für das Recht der Minderheiten eingetreten und habe mich gegen das Unrecht zu wehren versucht, das nicht nur hierzulande gegen die Minderheiten verübt wird. Heißt das, Hoch- und Landesverrat treiben? Wenn Sie dieser Meinung sind, meine Herren Geschworenen, dann verurteilen Sie mich! Aber fragen Sie sich zuvor, ob Ihre Regierung dann noch glaubwürdig versichern kann, sie biete Auswanderern aller Länder auf dem Boden Kanadas Freiheit und Wohlfahrt.

Der Herr Vorsitzende hat in seiner Eröffnungsansprache diesen Prozeß als den bedeutsamsten seit Gründung des Dominions bezeichnet. Darin stimme ich ihm zu — nicht etwa, weil es meiner Eitelkeit schmeichelt, sondern weil sich hier vor den Augen der Weltöffentlichkeit erweisen muß, ob die Bevölkerungsmehrheit und die Regierung dieses Landes sich ihrer Verantwortung für die Minderheiten wirklich bewußt sind. Dieser Prozeß ist ein Akt der Gewissenserforschung — für mich und meine Metis gewiß; ebenso gewiß aber auch für alle anderen Bürger dieses Landes. Das macht seine Bedeutung aus. Verurteilen Sie mich, dann muß nicht ich mich schämen, sondern die machthabende Mehrheit des Dominions Kanada.«

Es war eine würdige Erklärung — eine echte Metis-Rede: mutig, aber unklug. Riel wußte, daß er sich damit selbst den Weg zum Galgen öffnete. Doch sein Stolz litt es nicht, in dieser Stunde sich und sein Volk zu demütigen, und so war hier noch einmal dessen Stimme aus dem Munde des Mannes zu vernehmen, der Tugenden wie Fehler dieses kleinen Volkes gesteigert verkörperte: die Stimme von Träumen, die sich vergeblich nach Verwirklichung gesehnt hatten und bereits jetzt nicht mehr Kraft besaßen als Luftspiegelungen über der Prärie.

„Und erlöse uns von dem Bösen ...“

Am 1. August 1885, nachmittags zwei Uhr, zogen sich die Geschworenen zur Beratung zurück, um ihr Urteil über Louis Riel zu finden. Nachdem sie den Gerichtssaal

247

verlassen hatten, kam es zu einer seltsamen Szene. Sobald der Gerichtsvorsitzende, der Kronanwalt und der Gerichtsschreiber sich entfernt hatten, erhob sich auf den Zuschauerplätzen, die bis in den letzten Winkel gefüllt waren, das angeregte Geschwätz, das überall in der Welt für die Pausen während eines Sensationsprozesses charakteristisch ist. Es sank jedoch schon nach wenigen Minuten zu einem betroffenen, verlegenen Flüstern herab, denn der Klang einer einzelnen Stimme brachte den Zuschauern jäh wieder zu Bewußtsein, daß sie hier nicht einer Theateraufführung beiwohnten, sondern dem letzten Akt des Ringens um das Leben eines Menschen und um das Lebensrecht eines kleinen Volkes.

Es war die Stimme Louis Riels, die ihnen dies bewußt machte. Der Angeklagte hatte sich auf die Knie sinken lassen und begonnen, laut auf Französisch zu beten. Nach einigen Minuten betroffenen Schweigens setzte zwar das Geschwätz der Zuschauer von neuem ein, doch von nun an so gedämpft, daß es die Stimme des Beters nicht mehr zu überdecken vermochte. Eintönig wie das ferne Dröhnen einer Indianertrommel auf der Prärie flehte sie Gott um seine Gnade an.

Entrüstete Blicke vor allem der anwesenden Damen streiften den Knienden. Man fand es höchst ungehörig, daß Riel seine Frömmigkeit derart zur Schau stellte und damit anderen auch noch das Behagen an der Pause verdarb. Riel spürte von diesem Unwillen offenbar nichts. Seine Stimme hörte nicht auf, Gebete zu sprechen, bis nach achtzig Minuten die Geschworenen, von Beamten der Berittenen Polizei in ihren schmucken scharlachroten Uniformröcken feierlich geleitet, in den Gerichtssaal zurückkehrten, den zu gleicher Zeit Richter, Kronanwalt und Gerichtsschreiber durch eine andere Tür erneut betraten.

Nachdem alle ihre Plätze eingenommen hatten, warf Richter Richardson einen Blick auf die Uhr und gab dem Schreiber ein Zeichen. Dieser erhob sich und rief: »Angeklagter, stehen Sie auf!«

Riel, der — das Gesicht in die Hände vergraben — noch immer kniete, gehorchte langsam. Als er stand, fuhr der Schreiber fort: »Meine Herren Geschworenen, sind Sie zu Ihrem Urteil gekommen? Wie lautet es? Ist der Angeklagte schuldig oder nicht?«

Der Obmann der Geschworenen senkte den Kopf. Leise, aber deutlich erwiderte er: »Wir haben den Angeklagten einstimmig schuldig befunden im Sinne der Anklage. Aber die Mehrheit meiner Mitgeschworenen hat mich beauftragt, ihn der Gnade der Krone zu empfehlen.«

»Diese Ihre Empfehlung wird an die zuständigen Instanzen weitergeleitet werden«, sagte Richter Richardson kühl. Dann dankte er den Geschworenen für ihre Mitarbeit und Mühe und entband sie von ihrem Eid.

Riels Gesicht war unbewegt geblieben, als er den Schuldspruch vernahm. Nur seinen Händen, die sich ruhelos um das Geländer des Angeklagtenstandes krampften, war seine innere Erregung anzumerken. Als sich der Richter nun ihm zuwandte und ihn fragte: »Haben Sie etwas vorzubringen, was gegen diesen Schuldspruch spricht?« starrte er Richardson verwirrt an. Es überraschte ihn offenbar, daß ihm Gelegenheit geboten wurde, noch einmal zu sprechen. Es dauerte einige Augenblicke, bis er Worte fand.

»Jawohl, Euer Gnaden«, stammelte er. »Ich . . .« Es fiel ihm sichtlich schwer, sich zu sammeln. Hatte er wider besseres Wissen doch noch mit einem Freispruch gerechnet und stürzte nun, angesichts der grausamen Wirklichkeit des Schuldspruchs aus allen Himmeln der Hoffnung? Oder hatte er sich in seinem langen Gebet bereits abgewandt von dieser Welt und begonnen, sich innerlich auf das vorzubereiten, was ihm jetzt allein noch zu tun übrigblieb?

Verwirrt setzte er aufs neue an: »Ja, Euer Gnaden, ich habe nur noch — nur noch dies eine zu sagen: Ich danke den Herren Geschworenen für dieses Urteil, denn man wird danach endlich aufhören müssen, mich zu verleumden ... Meine — meine geistige Gesundheit in Zweifel zu ziehen ... Ich — ich muß nun nicht mehr fürchten, mich und meine Metis lächerlich zu machen, wenn ich ihnen noch einmal zurufe: Louis Riel ist ein Prophet, er hatte eine Sendung, mit der Gott und sonst niemand ihn betraut hatte ... Denn nicht Menschen beriefen mich, Gott rief mich, diesen Menschen zu helfen ... Nur Gott allein kann beurteilen, ob ich seinen Auftrag erfüllt habe ... Seinem Urteil unterwerfe ich mich in Demut ... Das ist alles, Euer Gnaden ... Mehr — mehr habe ich nicht zu sagen.«

Seine Stimme hatte während dieser kurzen Ansprache mehrmals gestockt und geschwankt. Nun sank er wie von einer großen Anstrengung erschöpft auf seinen Stuhl zurück. Der Richter räusperte sich. Die beiden Rotröcke, die Riel bewachten, stießen den Zusammengesunkenen an. Es dauerte eine Weile, bis er begriff, was dies bedeutete. Mühsam zog er sich am Geländer wieder empor.

»Louis Riel«, sagte der Richter nun in die atemlose Stille hinein, die den ganzen Saal erfüllte, »nach beispiellos geduldigem Anhören der Aussagen zu Ihrem Fall haben die Geschworenen Sie schuldig befunden des ärgsten Verbrechens, das der Mensch als Angehöriger einer zivilisierten Gemeinschaft begehen kann: des Hoch- und Landesverrats. Sie sind ferner für schuldig befunden, daß Sie für Blutvergießen und Raub die Schleusen öffneten, als Sie die Indianer der Prärie zum Aufstand anstachelten. Das hat Unheil und Elend über zahllose Familien gebracht. Ihre Schuld haben Sie weder durch Einwände noch durch Gründe noch durch Zeugen entkräften können.

Das Gesetz hält für Ihre Untaten nur eine Antwort bereit. Diese Antwort zu verkünden, ist nunmehr meine schmerzliche Pflicht. Sie lautet: Louis Riel, Sie sollen am 18. September dieses Jahres an einem dafür geeigneten Ort zur Hinrichtung geführt und dort an Ihrem Halse aufgehängt werden, bis Sie tot sind. Möge Gott Ihrer Seele gnädig sein.«

Im französischsprechenden Kanada kam es fast zu einem Aufruhr, als dieses Urteil bekannt wurde. Aber nicht nur von dort, sondern aus allen Teilen der Welt strömten Gnadengesuche für Riel nach Ottawa und nach London. Unter dem Eindruck dieser Flut des Widerspruchs zögerte Königin Victoria lange, das Todesurteil zu bestätigen, wie es die kanadische Regierung forderte, deren Premierminister MacDonald sich vor dem Parlament vernehmen ließ: »Dieser Kerl soll baumeln, und wenn sämtliche Köter in Quebec und anderswo zu seinen Gunsten ein Riesengeheul anstimmen!«

Den Ausschlag für eine Ablehnung des Gnadengesuchs gab jedoch, daß im Oktober bekannt wurde, Gabriel Dumont und Michel Dumas planten, Riel mit Gewalt aus der Haft zu befreien.

Diesen beiden war es nach der Niederlage der Metis gelungen, sich über die Grenze nach Montana zu flüchten
und dort als politische Flüchtlinge anerkannt zu werden.
Sie begannen sofort, Pläne zur Befreiung Riels zu schmie-
den. Ihr Versuch, die Regierung der Vereinigten Staaten
zu einem Eintreten für Riel, zumindest zu einem Gnadengesuch zu veranlassen, schlug jedoch fehl, obwohl
Riel seit fünf Jahren amerikanischer Staatsbürger war,
formalrechtlich also gar nicht des Hoch- und Landesverrats beschuldigt werden konnte.

Doch das hielt Dumont und seine Freunde nicht ab, bei
den amerikanischen Metis-Siedlern Geld zu sammeln
und Reiter und Pferde für das Wagnis anzuwerben, das
sie planten. Im Oktober war alles für den Handstreich
bereit. In Abständen von jeweils zehn Meilen waren auf
der vierhundertfünfzig Meilen langen Strecke zwischen
Lewistown in Montana und Regina Relaisstationen errichtet, an denen frische Pferde und bewaffnete Leibwächter auf den Flüchtling warteten. Jedes Metis- und
Indianerlager in diesem Gebiet befand sich in Alarmzu-
stand.

Diese geschickt eingefädelte Verschwörung blieb trotz
der großen Zahl der Beteiligten bis Mitte Oktober verborgen. Erst wenige Tage vor dem Startzeichen wurde
sie den kanadischen Behörden verraten. Gabriel Dumont
blieb bis zu seinem Tod überzeugt, der Verräter könne
nur Charles Nolin gewesen sein, der durch seine ver-
wandtschaftlichen Beziehungen zur Riel-Familie von dem
Komplott Wind bekommen habe. Erwiesen ist dies nicht,
denn die kanadische Regierung gab den Namen des Ver-
räters wohlweislich nie bekannt. Nolin stritt jede Schuld
ab; aber für die Metis blieb er fortan ein Geächteter.

In Regina wurde die Bewachung des Gefangenen natürlich sofort verstärkt. Es bestand keine Aussicht mehr, die Wachmannschaft wie geplant durch einen nächtlichen Überfall zu überrumpeln. Die Regierung nutzte ferner diese Verschwörung als Trumpfkarte gegen die Begnadigung Riels: Werde dieser gefährliche Unruhestifter jetzt nicht ein für allemal mundtot gemacht, dann müsse das Dominion über kurz oder lang mit einem neuen, dritten Riel-Aufstand rechnen. Es sei also ein Gebot politischer Klugheit und Voraussicht, das Todesurteil gegen den unbelehrbaren Rebellen zu vollstrecken und seinen Anhängern damit die treibende Kraft und den führenden Kopf zu nehmen. Ohne ihn würden die Metis wieder das sein, was sie seit jeher gewesen waren — eine unbedeutende Volksgruppe, über die Weite der Wälder und Prärien des kanadischen Nordwestens zerstreut und deshalb machtlos.

Es ist nicht bekannt, ob Riel in seiner Zelle im Polizeigefängnis von Regina von dem Befreiungsplan überhaupt Kenntnis erhielt. Wenn ja, dann könnte dies nur durch seinen Beichtvater Pater André Fourmond geschehen sein, der als einziger Zutritt zu ihm hatte. Aber Fourmond dürfte ihm abgeraten haben, auf dieses gewagte Spiel irgendwelche Hoffnungen zu setzen, wie er Riel ja auch abriet, in seiner letzten Stunde noch einmal das Wort an die Öffentlichkeit zu richten.

»Eine solche Rede würde nur abermals die Saat des Unfriedens in das Land streuen«, sagte er, und Riel sah dies ein. Ihm lag zudem gar nicht mehr daran, das Ohr der Welt zu erreichen. Ihm ging es nur noch darum, sich mit seiner Kirche wieder zu versöhnen und seinen Frieden mit Gott zu finden. In langen Gesprächen mit Pater

André gelang es ihm auch, und als am 16. November mit einem klaren, kalten Frühwintermorgen sein letzter Erdentag anbrach, trat er innerlich ruhig und zum Sterben bereit an das Fenster im ersten Stock des Gefängnisgebäudes, vor dem die Plattform des Galgens auf ihn wartete.

Wie er seinem Beichtvater versprochen hatte, verzichtete er auf das hergebrachte Recht des Verurteilten, ein letztes Wort an die Zeugen der Hinrichtung — Henker, Justiz- und Regierungsvertreter, Wachmannschaften und Pressereporter — zu richten. Er kniete vielmehr am Fenster angesichts des Galgens nieder, sprach ein kurzes Gebet, empfing Absolution und Segen und umarmte Pater André, der vor Erschütterung und Übernächtigung einer Ohnmacht nahe war.

»Mut, nur Mut, mon père«, suchte er den Geistlichen zu trösten. »Es ist ja bald vollbracht.« Und dann wandte er sich dem Henker zu und sagte mit fester Stimme: »Mr. Gibson, ich bin bereit.«

»Sie haben noch zwei Minuten Zeit«, erwiderte Gibson und führte ihn unter die Schlinge. »Zeit für ein letztes Vaterunser ... Sprechen Sie es ihm laut und langsam vor, Pater Fourmond!«

Pater André begann laut zu beten. Er ahnte ebenso wenig wie Riel, welche Gemeinheit verabredet war: Sobald der Satz gesprochen wurde: »Und erlöse uns von dem Bösen ...«, sollte das Klappbrett unter Riels Füßen sich öffnen und ihm den Sturz ins Dunkel freigeben.

Sie ahnten auch nicht, daß noch eine zweite, weit bösartigere Gemeinheit auf Riel wartete: Als er unter der Schlinge stand und leise mitbetete, trat von hinten her der Henkersknecht an ihn heran, streifte ihm die vorgeschriebene Kapuze über den Kopf, legte ihm die Schlinge um den Hals und zischte ihm ins Ohr: »Riel, du lausiger Bastard, auf diesen Tag habe ich fünfzehn Jahre lang gewartet. Heute entwischst du mir nicht. Jetzt endlich sind wir quitt.«

Die Kapuze verbarg, welche Gefühle Riels Gesicht gespiegelt haben mag, als er inne wurde, welch eine letzte, unerhörte Demütigung man ihm in seiner Todesstunde noch antat: Wehrlos umgebracht zu werden von einem Mann, der ihn bis zu seinem letzten Atemzug mit rachsüchtigem Haß verfolgte.

Man weiß bis heute nicht genau, wer diese Scheußlichkeit beging. Die einen behaupten, es sei Dr. Christian Schultz selbst gewesen, die anderen, Schultz habe den Fuhrmann Jack Henderson, einen Freund Thomas Scotts, dazu angestiftet. Daß die kanadischen Justizbehörden die Gemeinheit zuließen, bekundet eine über Erwarten schäbige Gesinnung.

Louis Riel aber ließ sich, wie der als Augenzeuge anwesende Reporter Nicholas Davies bekundet, von diesem Zwischenfall offenbar nicht mehr anfechten. »Er stand ganz ruhig und gerade aufgerichtet, bis sich unter seinen Füßen das Fallbrett öffnete, und erwartete den Tod mit einem gelassenen Mut, den man diesem weichen Menschen nicht zugetraut hätte ... Der Tod trat, nach dem Zeugnis der anwesenden Ärzte, spätestens nach zwei Minuten ein.«

Erst nach acht Tagen gaben die Behörden den Toten zur Bestattung frei. Dies löste wilde Gerüchte aus. Es hieß, seine Feinde hätten den Leichnam verstümmelt und irgendwo heimlich verscharrt. Am 25. November um Mitternacht konnte Pater André Fourmond dann doch die Totenmesse für Louis Riel lesen, und am 12. Dezember wurde er auf dem Friedhof der Kathedrale zu St. Boniface am Red River bestattet.

Metis trugen den Sarg sechs Meilen weit durch hohen Schnee von Riels Elternhaus in St. Vital zur Kirche, wo ein Requiem gehalten wurde. Der Pfarrer sagte dabei in seiner kurzen Gedenkansprache, Louis Riel sei »gestorben als ein Märtyrer seines Volkes, standhaft wie ein Heiliger. Um ihn trauerten nicht nur Mutter und Geschwister, sondern alle Angehörigen seines Volkes.«

Ganz anders hörte sich der Nachruf an, den ein Zeitungsberichterstatter aus dem Mund zweier Zaungäste aufschnappte, die mit anderen Müßiggängern den Weg des Leichenzugs beobachteten. Einer dieser Zuschauer fragte seinen Nachbarn: »Wer ist denn das, den die Bastarde da zu Grabe tragen?«

»Weißt du das nicht? Das ist doch Riel, der Metis-Stänker!«

»Ach, der ist das? Na, gut, daß wir diesen Hundesohn endlich los sind!«

Sollten diesen beiden Herren Enkel beschert gewesen sein, so haben diese im Jahr 1970 reichlich Gelegenheit erhalten, das einzige Gedenkzeichen zu betrachten, das auf kanadischem Boden dem Andenken Louis Riels jemals gewidmet wurde — in Gestalt einer Briefmarke der kanadischen Post. Sie ehrte damit zu Recht einen Verfolgten und Gehenkten, einen gescheiterten »Propheten« der Prärie, der nie aufgehört hatte, von einem »Christlichen Reich indianischer Nation« zu träumen und der heute als eigentlicher Begründer der Provinz Manitoba anerkannt wird.

256

Nachwort

»Dem Genre der historischen Erzählung sind offenbar
keine Grenzen gesetzt« — mit diesem Stoßseufzer spür-
barer Mißbilligung hat sich vor zwanzig Jahren ein Kri-
tiker zu einem meiner ersten Bücher geäußert, da es ihn
verdroß, daß sich jenes Buch mit einer Randfigur der
Geschichte, mit Vasco Nuñez Balboa, so ausgiebig be-
schäftigte. Ich habe seitdem noch oft Anlaß zu ähnlichem
Verdruß gegeben und mache mich jetzt abermals in dieser Weise schuldig. Denn ich kann es nun einmal nicht
lassen, nach dem »Schnee vom vergangenen Jahr« (oder
gar Jahrhundert) zu suchen, obwohl auch mir die alte
melancholische Frage oft genug zu schaffen macht: Lohnt
denn dieser Versuch einer Schattenbeschwörung angesichts einer Gegenwart, die doch ganz andere Sorgen und
Bedürfnisse hat, wie man mir glaubwürdig versichert?
Diese Frage hat mir nie so hartnäckig zugesetzt wie bei
dem Unternehmen, die Geschichte des »Rebellen am Red
River« Louis Riel zu erzählen. Sie zwang mich zu immer
neuen Fassungen des überreichen Stoffs — vierzehn Jahre
lang, das heißt genauso lange, wie mich die Geschichte
der Nordwestpassage in Atem hielt, die mich auf einem
Nebenweg zur Gestalt Riels führte.
Aber nun ist das Lied gesungen, die Geschichte erzählt.
Doch eine bündige Antwort auf die Frage, ob denn die
aufgewendete Mühe nun wirklich lohnt, weiß ich noch

immer nicht. Ich weiß nur, daß mich das Schicksal Riels und seines Metis-Volkes tief angerührt hat, und ich meine, es hätte als ein Gleichnis wie mir so auch anderen Menschen selbst heute einiges Nachdenkenswerte zu sagen. Denn Minderheiten gibt es ja immer noch, und sie werden noch immer drangsaliert, entrechtet, ausgelöscht — meistens im Namen eines vermeintlich höheren Rechtes.

Daran ändern Geschichten nun zwar meistens genauso wenig wie Protestresolutionen. Aber hat nicht einmal eine Geschichte — »Onkel Toms Hütte« — das Gewissen eines Volkes geweckt? Ich meine, erst wenn wir darauf verzichten, uns begangenen Unrechts beschämt zu erinnern, wenn wir Verfolgten und Entrechteten unser Mitgefühl vorenthalten, haben Unmenschlichkeit und Ungerechtigkeit den Sieg endgültig in der Tasche.

Ich hätte diese Geschichte nicht schreiben können ohne zwei Biographien, die sich — nach Jahrzehnten des Totschweigens — gründlich mit dem Schicksal Louis Riels beschäftigten: »Strange Empire« von Joseph Kinsey Howard (New York 1952) und »Louis Riel« von F. G. Stanley (Toronto 1963). Ihnen verdanke ich, daß es mir schließlich leicht wurde, mich eng an die Spuren gelebter Wirklichkeit zu halten. Gleichzeitig freilich machte es mir ihre Gründlichkeit aber auch schwer, die Geschichte so knapp zu fassen, daß der Leser sich von ihr willig hinführen läßt zu einem Menschenschicksal, das zwar durch Jahrzehnte von unseren Tagen getrennt und doch, so scheint es mir, gleich nebenan angesiedelt ist.

Bad Salzuflen, im April 1974   *Kurt Lütgen*

Literaturnachweis

Begg, Alexander: History of the North-West, Toronto 1894.

Gibbon, John M.: The Romantic History of the Canadian Pacific Railway, New York 1937.

Giraud, Marcel: Le Métis Canadien, Paris 1945.

Hargrave, J. J.: Red River, Montreal 1871.

Hind, Henry Y.: Narrative of the Canadian Red River Exploring Expedition of 1857, London 1860.

Lower, A. R. M.: Colony to Nation, New York 1946.

MacBeth, R. G.: Policing the Plains, London 1922.

MacBeth, R. G.: The Romance of Western Canada, Toronto 1918.

MacKay, D.: The Honourable Company, New York 1936.

Mair, Charles: The American Bison, Ottawa 1890.

Milton/Cheadle: The North-West Passage by Land, London 1875.

Montigny, B. A. T.: Biographie et Récit de Gabriel Dumont, Montreal 1889.

Morice, A. G.: The Catholic Church in the Canadian Northwest, Winnipeg 1936.

Morice, A. G.: A Critical History of the Red River Insurrection, Winnipeg 1935.

Morice, A. G.: La Race Métisse, Winnipeg 1938.

Morton, A. S.: The New Nation: The Metis, Ottawa 1939.

Mulvany, C. P.: History of the North-West Rebellion, Toronto 1885.

Nute, G. Lee: The Voyageurs Highway, St. Paul 1941.

O'Donnell, John: Manitoba as I saw it, Winnipeg 1909.

Ouimet, Ad.: La Vérité sur la Question Métisse, Montreal 1889.

Paquin, E.: Riel — une Tragédie, Cambridge/Mass. 1886.

Perkin, G. R.: Sir John MacDonald, Toronto 1912.

Pritchett, J. H.: The Red River Valley 1811–1849, New Haven 1942.

Ross, Alexander: The Red River Settlement, London 1856.

Stanley, G. F.: The Birth of Western Canada, New York 1936.

Thompson, J. S. O.: The Execution of Louis Riel, Ottawa 1896.

Trémaudan, A. H. de: Histoire de la Nation Métisse, Montreal 1936.

Arena-Jugendbücher und Arena-Sachbücher berichten
spannend und fesselnd aus allen Wissensgebieten. Auf
abenteuerlichen Wegen führen sie den Leser durch die
ganze Welt. Sie vermitteln den Geist und das Wissen
unserer Zeit in lebensnaher, anschaulicher Form.
Wer sich ausführlich über das Arena-Programm infor-
mieren möchte, erhält gern das kostenlose Gesamtver-
zeichnis vom Arena-Verlag Georg Popp, 87 Würzburg 2,
Postfach 1124, Talavera 7—11.

Abenteuerliche Bücher von Kurt Lütgen

Nur ein Punkt auf der Landkarte
»Die Sammlung ist eine wahre Fundgrube zum Schmökern, fesselnde Schreibweise zeichnet das Buch aus.«
Großformat, 288 Seiten, illustriert   Gießener Anzeiger

Das Rätsel Nordwestpassage
Deutscher Jugendbuchpreis
»Ein Buch, das in jeder Hinsicht gelobt werden kann.«
344 Seiten, illustriert. Auch als TB 1220   Radio Basel

Der große Kapitän
Gerstäckerpreis für das beste deutsche Jugendbuch
»Dies Buch steckt prall voll bunter Abenteuer.«
280 Seiten, illustriert   Düsseldorfer Nachrichten

Nachbarn des Nordwinds
Bestliste zum Deutschen Jugendbuchpreis
»Menschliche Grenzsituationen werden hier packend geschildert.«   Die Zeit
232 Seiten, illustriert

Lockendes Abenteuer Afrika
Bestliste zum Deutschen Jugendbuchpreis
»Lütgen hat ein höchst amüsantes, spannendes und kluges Buch geschrieben.«   Hamburger Abendblatt
240 Seiten

Vorwärts, Balto!
»Lütgens packende und sprachlich konzentrierte Erzählweise macht das Buch interessant und lesenswert.«
192 Seiten, illustriert   VJA Niedersachsen

Preisgekrönte Bücher von Kurt Lütgen

Kein Winter für Wölfe
Deutscher Jugendbuchpreis
Die Besatzung einer Walfangflotte ist an der Nordküste
Alaskas vom Packeis eingeschlossen. Der mörderische
Winter kam unerwartet früh. 275 Männer sind dem Tod
des Verhungerns ausgeliefert. Da faßt der Steuermann
Jarvis einen bewundernswerten Entschluß, um das
Leben dieser Menschen zu retten: 1500 Meilen bringt er
eine Rentierherde über Gebirge und Tundren.
»... ein beispielhaftes, gutes Jugendbuch.«   Die Zeit
240 Seiten, illustriert, mehrfarbiger Schutzumschlag
Auch als TB 1168/69

Wagnis und Weite
Friedrich-Gerstäcker-Preis
Auch in diesem Buch führt Kurt Lütgen seine Leser weit
hinaus in die Welt: an die Hudson-Bai, nach Florida und
um den ganzen Erdball. Er schildert das Leben von vier
außergewöhnlichen Frauen, deren Erlebnishunger und
Wissensdrang, deren menschliche Einsatzbereitschaft
und Willensstärke den Rahmen ihrer Zeit sprengten.
228 Seiten, vierfarbiger Schutzumschlag

Hinter den Bergen das Gold
Friedrich-Gerstäcker-Preis
»Der Verfasser weiß, daß die echten Abenteuer meist
packender sind als die erfundenen. So erzählt er von
den Schicksalen berühmter Schatzsucher, von Geheim-
nissen, Enttäuschungen und packenden Funden. Spannung ist Trumpf — sie wächst aus den Fakten und einer
glänzenden Darstellung.«   Literatur-Report
200 Seiten, illustriert, Karten, mehrfarb. Schutzumschlag

Jeanette Mirsky
Ohne Kompaß und Schwert
Die Geschichte einer zehnjährigen abenteuerlichen Irrfahrt durch den Süden Nordamerikas
»Der bekannte Jugendbuchautor Kurt Lütgen hat diese
Geschichte einer zehnjährigen Irrfahrt aus dem Amerikanischen ins Deutsche übertragen. Die Sprache ist klar
und flüssig, der Inhalt spannend. Der junge Leser findet
schon nach dem Schmökern weniger Seiten Interesse
an der Expedition, die mit 600 Mann ausfuhr, um La
Florida zu erobern.«   Bundesverband der Lehrer
200 Seiten, eine Karte, mehrfarbiger Schutzumschlag

Henry A. Larsen
Die große Fahrt
Ein Leben der Bewährung in den eisigen Weiten der
Arktis. Auch das zwanzigste Jahrhundert bietet noch
Gelegenheit zu echten Abenteuern:
»Man kann diesen Bericht, den Larsen über seine Dienst-
jahre in der Arktis geschrieben hat, durchaus als ein
Abenteuerbuch lesen und tut ihm damit gewiß nicht un-
recht, denn er schildert darin ein Leben voll abenteuer-
licher Ereignisse. Doch man sollte dabei nicht darüber
hinweglesen, daß es sich erstens um ein ›Abenteuer im
Dienst‹ und zweitens um ein Zeitdokument von mensch-
lichem und völkerkundlichem Wert handelt.
Mit einem Nachwort und einem Geleitwort versehen von
Kurt Lütgen.«   Das Bücherblatt, Zürich
260 Seiten, mehrfarbiger Schutzumschlag